CW00832401

ASSASSINATO AO LUAR

UMA COLEÇÃO DE CONTOS

DIANA RUBINO

Tradução por

LUISA CAMACHO

CONTEÚDOS

SOUVENIR

Uma granada de morteiro atingiu o solo e explodiu. O flash ofuscante clareou o céu noturno, iluminando cinco rostos assustados dentro da velha casa da fazenda.

O segundo projétil acertou um golpe direito, sacudindo a casa até seus alicerces. À medida que os destroços se espalhavam por toda parte, a força explosiva rachou a mesa de madeira. Mapas, documentos, livros e computadores voaram pela sala.

Os homens correram atrás de suas armas — todos exceto Hani Terif. Ele procurava desesperadamente entre os escombros por um item vital.

— Deixe-me encontrá-lo, por favor! — ele implorou.

Conforme remexia nos fragmentos de madeira, papel, plástico derretido e metal, seu ouvido treinado distinguia cada som; até mesmo os sons além de suas próprias armas que cuspiam e tossiam. Os morteiros caíam ao longe e os projéteis chiavam por cima do ruído dos rifles automáticos de fabricação americana. Enquanto metralhadoras de calibre 50 gargarejavam com tiros de fuzil, ele congelou. Isso significava uma coisa: Comandos Israelenses, muitos para conseguir se combater. Eles devem fugir agora ou enfrentar a morte certa.

Com suas armas russas envelhecidas e munição limitada, ele e seus companheiros do *Deadly Underground* não tinham chance contra seus inimigos. Os soldados mais bem treinados deste lado do mundo, os comandos israelenses fecharam o cerco rapidamente. Com suas expectativas de vida provavelmente reduzidas a um punhado de segundos, seus homens lutaram para fugir. Eles rastejavam e mancavam, arrastando as pernas feridas; os braços pendurados nos ombros de camaradas.

— Encontrem-me no esconderijo do *Deadly Underground* nos arredores de Cairo em duas semanas! — Hani ordenou a seus homens. — Eu vou deter o inimigo pelo maior tempo possível.

Mísseis rugiram ao alto em um bombardeio horrível. Seus músculos se enrijeceram. Sabendo que ele nunca ouviria o tiro que o mataria, tremeu. Os outros saíram correndo noite adentro, sob a cobertura dos tiros barulhentos de sua metralhadora. As balas israelenses sussurravam ao redor dos seus pés.

Ele continuou a vasculhar a sala, buscando o inestimável Corão. Finalmente, os olhos aguçados o avistaram preso sob o canto de um tapete. Grato por uma visão apurada, ele saltou pela sala para agarrar o pequeno livro de couro.

Ele já abandonara a construção quando uma explosão a mandou pelos ares. Ao observar seus irmãos de armas explodirem em fragmentos de osso e sangue respingado, Hani percebeu que era o único sobrevivente.

O British Airways 747 seguiu para Londres com sua carga de turistas americanos, visitantes britânicos ansiosos para voltar para casa, passageiros inquietos de primeira viagem e uma tripulação cordial. O grupo da *Lassiter Tours* sentou-se na classe econômica; seis americanos de várias idades e origens, prestes a embarcar em sua viagem relâmpago pelo Egito.

Acomodado em um assento na janela, Dr. Lawrence Everett, Professor de Estudos de Patrimônio na Universidade Estadual de Plymouth lia uma tese em seu *Ipad*. Próximo a ele sentou-se sua esposa Janice, murmurando em silêncio uma Ave Maria, um rosário apertado entre seus dedos.

O Professor Everett notou a cabeça inclinada da esposa.

— Querida, ainda nem saímos do chão — Só por

precaução, ele alcançou a sacola forrada de plástico na bolsa em frente a ela.

— Olhe, estamos finalmente nos movendo! — Jeff Sullivan, o passageiro à direita de Janice Everett, a cutucou. — Estamos a caminho de nossa primeira parada para reabastecer: London Heathrow — ele ditou para um gravador digital. — De lá, nós prosseguiremos até o Cairo, Egito. A origem de todos os gênios conhecidos pela humanidade...

Do outro lado do corredor, nos três assentos do meio, sentou-se a família Russo, nascida no Brooklyn: o barrigudo Dominic, sua esposa preocupada com a saúde, Anna Maria, e sua filha de 22 anos, Carmella, que lia a *Yoga Journal*. A viagem era uma celebração da segunda chance de Carmella na vida.

O avião subiu até as nuvens, prestes a disparar seu rastro de vapor pelo Atlântico.

O grupo da *Lassiter Tours* chegou ao Cairo Hilton a tempo de um jantar tardio. Após a refeição apressada no restaurante do hotel, o guia da excursão chegou.

— Boa noite. Sou Yasar Massri. Eu sou um estudante de arqueologia egípcia e serei seu guia pelas próximas duas semanas.

Os viajantes se reuniram no saguão do hotel enquanto Yasar contava uma breve história de Memphis, a primeira parada da manhã seguinte.

— Por favor, estejam no saguão às 8h30 para conhecer nosso ônibus — disse terminando seu discurso de instruções. — O café da manhã será servido às oito.

À medida que o grupo se arrastava em direção aos elevadores, Carmella aproximou-se de Yasar, que estava entrando no bar do hotel.

— Você soa como um culto homem do mundo — ela falou atropelando as palavras, ofegante com a animação. — Mal posso esperar para ver o Egito.

— Suponho que você nunca esteve aqui antes — ele se moveu em direção à ela, diminuindo a distância respeitável.

— Não, nunca. Está é uma viagem muito especial para mim. Uma verdadeira celebração. Sempre fui fascinada pela história egípcia e o mistério das pirâmides, como foram construídas com tanta precisão, alinhadas com as estrelas. Você, com certeza, tem uma história da qual se orgulhar.

Ele sorriu.

— Bem, obrigado. Nós temos orgulho dela.

— Sempre que eu viajo, faço questão de conhecer os moradores locais. Especialmente os guias turísticos. — ela fez uma pausa para dar efeito e para respirar. — Você gostaria de sentar no bar e conversar um pouco? Até farei anotações. Ela tirou o *Ipad* de sua bolsa para mostrar a ele.

— Seria um prazer. — ele a conduziu até o bar onde ocuparam duas cadeiras em uma mesa de canto aconchegante. Ele pediu uma cerveja e ela um suco de laranja.

— Falando de história, veja isto. — e tirou um pequeno livro de couro do bolso e o estendeu para ela.

Ela o encarou maravilhada enquanto ele o colocava em sua mão.

— É tão antigo e frágil. Foi encontrado em uma tumba de faraó ou algo assim?

Ele deu uma risada.

— Não, é um Corão. Eu o comprei em um leilão esta manhã. De alguma maneira, sobreviveu a uma batalha entre os comandos israelenses e os terroristas na velha fazenda Bishara, alguns meses atrás.

Ela o abriu e passou o dedo pela contracapa.

— Está tão desgastado e... o que é isto escrito aqui?

— Não tenho certeza. Preciso estudar mais de perto.

O garçom serviu as bebidas. Yasar deu um gole em sua cerveja.

— Você pagou muito caro por ele? Se você não se importa que eu pergunte — ela o abriu em uma página aleatória e passou os olhos sobre a escrita antiga e estrangeira.

— Cerca de cem dólares, dinheiro americano. Os outros compradores eram turistas do vilarejo, assustados demais com os terroristas do *Deadly Under-*

ground até mesmo para fazerem ofertas pelos poucos itens intactos. Como se eles matassem pelos destroços de suas tranqueiras. Ele riu.

— Bom, ele certamente é algo a ser valorizado — ela segurou o precioso artefato entre dois dedos e o colocou nas mãos dele.

— Eu sei que vai me proteger de qualquer mal. Soa supersticioso, mas é o sentimento que tenho sobre ele, desde o momento em que o vi. Ele o apertou e o segurou junto ao coração.

Carmella sorriu.

— Ah, eu sei tudo sobre isso. Ninguém é mais supersticioso do que italianos do Velho Mundo. Eu já vi velhinhos lançarem o *Malocchio*, o mau-olhado, quando eles querem o mal de alguém. Ela apontou o dedo indicador e o mindinho em direção a ele.

— Espero que isso não signifique que você o colocou em mim — ele protegeu seu rosto com o Corão, rindo.

— Não mesmo — ela colocou a mão ao redor do copo — Eu nunca desejo o mal a ninguém. É um carma ruim. Você sabe tudo sobre isso, não sabe?

Ele assentiu.

— Ah, eu sei. Eu respeito, adoro e temo a Deus. E Sua ira. Se você chama isso de carma, que assim seja.

Aquilo lhe causou um arrepio na espinha.

— Vamos falar sobre algo agradável, como a sua história. Mal posso esperar para ver as pirâmides e todos os artefatos antigos.

Eles passaram a noite conversando sobre história, arte, livros. Ela perdeu a noção da hora.

Que cara bacana, pensou, ao retornar para o seu quarto de hotel. *Espero que ele tenha Facebook. Vale a pena conhecê-lo melhor.*

Na manhã seguinte, um ônibus aguardava do lado de fora da entrada principal do Cairo Hilton enquanto Yasar apressava os turistas americanos no café da manhã.

— Devemos embarcar no ônibus agora, pessoal. É hora de ir.

Enquanto eles engoliam o café e corriam porta afora, Dominic Russo embrulhou os croissants restantes em um guardanapo e os enfiou no bolso junto com pacotinhos de geleia. O ônibus deu partida e seguiu para Memphis, parando brevemente para que Yasar e o motorista pudessem olhar para Meca e rezar. Yasar não seria o único Muçulmano a bordo e esperava-se que todos atendessem o chamado à oração.

Multidões de turistas cercavam a estátua de Ramsés II, deitada de costas dentro de uma estrutura semelhante a um gazebo. O celular de Yasar tocou e ele olhou para a tela.

— Por favor, fiquem juntos pessoal, eu voltarei em um momento — instruiu ao grupo enquanto saía apressado para atender a ligação. Os turistas continuaram admirando a estátua e a cártula, o design de formato retangular com o nome de Ramsés em hieróglifos. Após dez minutos, apenas Carmella notou que Yasar não havia retornado.

— Onde está Yasar? — Uma pontada de medo a atingiu. Ela sabia quão perigoso o Oriente Médio era. Eles haviam feito esta viagem indo contra o aviso do Departamento de Estado de se manterem afastados. Seus olhos moviam-se com rapidez quando ela correu para fora e baixou os óculos de sol, explorando a área em busca do atraente guia turístico.

Momentos depois, um policial apareceu, segurando algo. Seus olhos semicerrados examinaram a multidão. Para seu horror crescente, Carmella viu que ele segurava um broche amarelo brilhante de grupos de turismo. O coração dela saltou na garganta quando o policial avistou o broche correspondente preso no peito de Carmella. Ela cambaleou, quase desmaiando quando ele se aproximou do grupo.

— Senhoras e senhores — ele gaguejou em um inglês hesitante. — O seu guia turístico, Yasar... ele está morto.

Carmella desabou e chorou. A mandíbula de Dominic Russo apertou o croissant que ele estava mastigando. Janice Everett arquejou e se ajoelhou para rezar.

Dominic se aproximou do policial:

— Como ele morreu?

Jeff Sullivan vasculhou a bolsa em busca do gravador digital.

— Aparentemente foi envenenamento.

— É esta água, a água daqui... eles nos disseram para não beber! — Anna Maria Russo enfiou duas pastilhas de vitamina C na boca.

— Senhora, a água aqui é tóxica apenas para estrangeiros — o policial explicou. — Yasar era egípcio.

— Então foi a maldição do Faraó! — Janice Everett gritou, apertando seu rosário desgastado pela preocupação.

Anestesiada pelo choque, Carmella seguiu o grupo de volta ao ônibus e se sentou em um silêncio atordoado durante todo o caminho de volta até o Cairo.

Ela havia passado apenas algumas horas de sua vida com Yasar, mas aproveitou completamente sua companhia. O que a fez estremecer foi um pensamento repentino: ele tinha tanta certeza de que o pequeno Corão o protegeria do mal.

Aquele livro esfarrapado estava amaldiçoado de alguma maneira? Ela sacudiu o horrível pensamento de sua mente. *Isso* é que é superstição do Velho Mundo.

~

Um detetive chegou ao hotel depois do jantar para entrevistar o grupo turístico e tomar depoimentos. Após agradecê-los e ir embora, ela não contribuiu com a indignação do grupo:

— O que ele pensa que somos, assassinos?

— Como ele ousa falar com americanos assim!

— Eu gostaria ter meu advogado aqui!

Um guia turístico substituto chegou no hotel na manhã seguinte; outro estudante egípcio chamado Samir.

— Yasar e eu éramos bons amigos — ele disse ao grupo, seus olhos pretos cheios de lágrimas. — Eu estou profundamente entristecido com sua morte prematura.

As magníficas pirâmides despontavam à frente, elevando-se ao límpido céu azul. A antiga Esfinge agachada na areia. Samir guiou os viajantes a pé até a pirâmide do Rei Quéops enquanto camelos trotavam junto a eles, seus condutores ladrando ofertas para tirar fotos por apenas 20 dólares.

— Se alguém é claustrofóbico, fique aqui fora em vez de enfrentar a passagem escura e estreita dentro da pirâmide — Samir alertou. Carmella optou por ficar do lado fora. Os outros viajantes entraram na tumba, agacharam-se e desapareceram lá dentro. Samir virou-se em direção à Meca e rezou.

Vinte minutos depois, os turistas surgiram. Mas Samir não estava em lugar nenhum.

— Onde está Samir? — O Professor Everett limpou os óculos com um pano de engraxate do hotel.

O coração de Carmella batia com força. Ela procurou os rostos assombrados de seus companheiros. *Ah, não.* Uma inquietação ameaçadora pairou sobre o grupo como uma nuvem carregada.

Uma ambulância chiou até parar ao lado do ônibus turístico. Dois homens com uma maca contornaram a pirâmide e retornaram carregando um corpo enrolado em um lençol manchado de sangue. Assim como da última vez, um policial segurava um broche amarelo na mão, este respingado de sangue.

Os joelhos de Carmella cederam. Ela soluçou, não apenas de tristeza pelas duas mortes sem sentido, mas pelo medo que a apunhalou como uma adaga.

Ela não podia deixar de se perguntar: *Quem é o próximo?*

— Temos que encontrar um padre — Janice Everett lamentou, enquanto Jeff Sullivan relatou as notícias ao seu gravador.

Mais uma vez, um detetive entrevistou o grupo e tomou notas. Desta vez eles estavam muito atônitos para reclamar ou desejar advogados. Eles se sentaram, os rostos petrificados, olhando uns para os outros. Parecia que ninguém queria provocar mais suspeitas ao ser o primeiro a se levantar e ir embora.

Então Carmella levantou-se para sair. Afinal, ela sabia que era inocente.

— Espero que eles encontrem quem cometeu esses crimes horríveis — ela declarou — Noite, pessoal. Ela acenou para seus pais, virou-se e caminhou para o bar para tomar uma dose.

— Eu sou Antonio Calabrese, o seu novo guia turístico, e amanhã nossa primeira parada será o Museu do Cairo. O italiano de cabelos ondulados cumprimentou os viajantes americanos no saguão do hotel mais tarde naquela noite. Ele passou a revisar a história da tumba de Tutancâmon, descoberta em 1922 por Howard Carter e as muitas mortes atribuídas à "maldição" do Faraó.

— Mas isso é *pazzo*. — sorrindo, ele fez um círculo com o dedo ao lado da cabeça. — Não existem maldições. Os outros balançaram a cabeça concordando, juntando-se a ele nas risadas e nas ridicularizações, menosprezando-as. Para Carmella, a risada deles soava vazia e forçada, como se eles tentassem demais esquecer o horror dos dias anteriores.

Carmella não riu. Não que ela acreditasse em maldições, sua mente concentrava-se em outra coisa. Algum instinto de outro mundo lhe dizia que ela já havia conhecido Antonio antes. Talvez não nesta vida, mas ela estava tão atraída por ele, ela sentiu que eles compartilhavam uma conexão cósmica poderosa. Eram parentes? Ei, com toda a consanguinidade no Sul da Itália, um sobrenome comum era a última maneira com que as pessoas descobriam seu parentesco.

Ela não tinha Calabreses na árvore genealógica, mas isso não significava nada. Muito provavelmente, eles dividiam a mesma descendência. Sua voz interior repetiu *eu conheço você* tantas vezes que ela começou a murmurar essas palavras silenciosamente enquanto ele se dirigia ao grupo.

Ele examinou cada rosto, e por um instante seus olhos encontraram os dela. Ele desviou o olhar, mas ela manteve o olhar fixo nele.

Ela cruzou as pernas, balançando seu pé para frente e para trás. Alguns minutos depois, ele olhou de novo em sua direção, avistou-a e piscou. Ela sorriu. Ele desviou o olhar. Ela observou cada movimento dele. Ele fez elaborados gestos italianos enquanto descrevia a história com zelo e paixão. Uma música rock com uma batida constante vibrou pelos alto-falantes do saguão. Ela começou a se mexer com a música. Batia os pés. Seus corpos se moveram no ritmo exato um com o outro. Seus olhos se encontraram novamente.

Dessa vez eles não se desviaram.

Após o jantar, os pais dela foram ao bar para uns drinques, mas Carmella ficou no quarto para atualizar suas mídias sociais. Por volta das 21 horas, ela ouviu uma batida na porta. Esperando seus pais, ela a abriu, mas deu um passo para trás, surpresa.

— Uau, isto é o que eu chamo de serviço de quarto!

— *Ciao*, Carmella — o cabelo de Antonio Calabrese combinava com os olhos, um marrom profundo do tipo bombom de chocolate, sua pele bronzeada pelo sol do sul da Itália. Ele não era muito mais alto que ela, mas seu corpo mostrava que ele tomava conta do que tinha.

— Estava querendo conhecer você e... bom, espero não estar incomodando — ele olhou para o quarto por cima do ombro dela. — Seus pais me disseram para subir. Espero não estar sendo muito atrevido. Eles me avisaram que você é uma garota durona do Brooklyn, não que eu tenha intenções impuras...

Ela agradeceu a Deus por não ter colocados o cabelo naqueles bobes elétricos rosa-choque que ela carregava para todo lugar. Ela segurou a porta aberta para ele.

— Você nunca pode ser muito atrevido, Antonio. Temos muito sobre o que conversar.

De algum modo, ela sabia que isso não o faria fugir. Este não era um encontro inesperado. Esta era a primeira noite do resto de suas vidas juntos.

— Por favor, entre.

— *Grazie* — ele se acomodou em uma cadeira na

sala de estar. Ela se empoleirou no sofá, a uma distância respeitável.

— O universo está moldando nossos destinos neste exato momento, você sabia? — ela lhe informou, uma coisa estranha para se dizer a alguém que ela conhecia há vinte minutos. Mas era totalmente apropriado e verdadeiro.

— Eu percebi também, quando nos conectamos mais cedo no saguão. Caso contrário, eu não estaria aqui — sua voz calma acariciou os ouvidos dela.

— Lamento não ter me apresentado mais cedo, mas eu tinha que estudar um pouco. Estou fazendo um mestrado em História da Arte e Arqueologia e eu encaixo excursões entre as aulas e provas — ele se recostou e cruzou o tornozelo sobre o joelho.

— Bom, eu também. Estou estudando para um mestrado em História Feminina na Universidade de Nova York. Embora eu seja uma artista de coração. Uma escritora, mas eu chamo de arte.

— Eu também sou artista. Faço pintura a óleo — ele olhou para o *Ipad* dela. — Se você puder fazer isso mais tarde, por que não vamos para o bar tomar um drinque?

— Que tal irmos a algum lugar onde não tenhamos que sentar com meus pais? — ela se levantou e pegou a jaqueta. — Você conhece algum lugar onde possamos nos esconder?

Ela se esconderia em uma das Pirâmides com ele

se estivessem abertas. Qualquer coisa para suas almas se fundirem e conectarem. Do jeito que deveria ser.

Sentados em uma mesa de madeira para dois em um bar mal iluminado, um suco de laranja diante dela, uma taça de vinho diante dele, Antonio, sem muita timidez, iniciou a conversa.

— Então, está se abstendo hoje à noite? Ou faz parte de um café da manhã antecipado?

— Não — ela bebericou o suco. — Sou sóbria permanentemente. Eu não bebo nada.

Antonio tocou a correntinha ao redor do pescoço, uma cabeça de Cristo dourada se suspendia dela.

— Eu bebo vinho e cerveja, mas não uso nenhuma droga. Eu sei que todo mundo tem um... — ele procurava pela palavra.

—Vício.

Ele assentiu. — Ah, *sì*. Ou talvez peculiaridade? — tomou um gole de vinho. — Por que você não bebe? Isso a deixa doente?

— Não, é mais profundo que isso. Minha melhor amiga morreu em um acidente de carro. Atingida por um motorista bêbado — ela falou abertamente, sem chorar. Não era doloroso falar sobre isso com ele. Achou catártico compartilhar com ele uma de suas trágicas perdas. Ela compartilharia muito mais depois. — Mas vá em frente e beba. Só não exagere.

O primeiro encontro deles e ela já estava lhe dando ordens! Mas escapou de sua boca tão naturalmente quanto dizer o nome dele. Ele riu, mostrando seu sorriso de luar cintilante:

— Eu obedeço, *Consigliere*.

— É para seu próprio bem. Eu... — ela estava prestes a dizer "eu me importo com você", mas fechou a boca, interrompendo aquela confissão. Nunca havia vivenciado um amor à primeira vista, mas agora ela sabia, esta era uma conexão poderosa. Ela e Antonio Calabrese haviam compartilhado uma jornada muito distante.

Antonio encarou sua taça de vinho, como se fosse uma bola de cristal. Ele levantou a cabeça e seus olhos se encontraram.

— Você visitou Salerno em abril?

— Não, mas fui à Roma e Milão no verão anterior. Por quê?

— Nada, eu... — ele mexeu o vinho na taça, seus olhos ainda fazendo contato visual. — Pensei ter visto você lá. Podia jurar que vi você. Se não era, você tem uma gêmea.

— Todos nós devemos ter um sósia — mas um sósia dele? Bom, talvez ao sul de Roma...

Ele piscou para ela. Suas bochechas arderam.

— Vou desabafar, Antonio. Nós nunca nos conhecemos, não na Itália, não nesta vida, mas eu conheço você. Você verá o que eu quero dizer conforme a excursão continuar. Não quero dizer mais nada agora porque deixa muito espaço para dúvidas, mas no final da excursão, você vai entender que o que estou dizendo é a mais honesta verdade.

— Eu já sei — ele segurou a mão dela sobre a mesa. — Vamos falar sobre você. O que você fez em Roma e Milão naquele verão?

— Eu tenho parentes em Formello. Eu os visito todo ano, se puder. Nós fazemos viagens paralelas por toda a Itália e pelo continente. Eu esperava encontrar você em uma dessas viagens.

— E nos conhecemos no Egito. Quão estranho é isso? — ele balançou a cabeça, um sorriso sonhador nos lábios.

— Não é nem um pouco estranho. Ao contrário — ela respondeu, estudando as covinhas dele. — Porque nossos caminhos estavam destinados a se cruzar — o golinho de suco que ela tomou se tornou uma golada. Ela engasgou.

— Tudo bem com você? — ele se inclinou para frente.

— Sim, só... — ela tossiu e limpou a garganta. — Desceu pelo caminho errado. Estas férias têm sido uma coisa irreal depois da outra. Digo, eu e você nos encontrando aqui, e eu com esse sentimento de *déjà vu*.

— Se você diz — ele sorriu e alisou o cabelo para trás. — Eu não posso dizer que sinto que já a conheci antes. Eu não conheço garotas lindas como você com muita frequência. Na verdade, quase nunca.

Ela murmurou um "obrigada" entre mais goles.

— Eu adoraria ver alguns de seus trabalhos — ele disse. — Que tipo de material você escreve?

— Biografias. Eu ia escrever ficção de gênero, mas permaneci com a história. Estou pesquisando sobre Lucrezia Borgia.

— Não estou a par do... — ele uniu o polegar e as pontas dos dedos e moveu a mão para frente e para trás no clássico gesto italiano. — Como vocês chamam... jargão. O que você disse que era?

— Biografia — ela respondeu. — Histórias reais, não-ficção.

— Não, a palavra francesa — ele golpeou o ar.

Ela ergueu o dedo indicador.

— Ah, gênero. Significa categoria. Faroeste, mistérios, romances; todos são gêneros.

Ele assentiu.

— É assim com a arte também. Tem o Cubismo, Impressionismo — ele contou nos dedos — Futurismo, todos os "ismos", depois tem a Bauhaus... dezenas deles. Exceto que eles são chamados de movimentos. Ele ergueu a sobrancelha e inclinou a cabeça, apertando a mão dela. — Nós temos que ver o trabalho um do outro.

Uma onda de emoções — surpresa, afeto, as sensações do amor — surgiu em seu coração, aquecendo-a.

— Ah, *sì, sì* — ela sussurrou. — E eu sou aficionada por arte. Que tipos de pinturas você faz?

Os olhos dele nunca deixaram os dela.

— Nestes dias, retratos de egípcios ricos.

Ela parou o copo no meio do caminho até a boca.

— Por quê?

— Bom, é contra todas as probabilidades eu ter vindo morar aqui. Eu costumava pintar paisagens a óleo quando eu vivia em casa. Tentei colocar minhas pinturas em exibições de arte, tentei vendê-las em galerias, lojas, todo lugar. Ninguém as queria. Eu não podia dá-las embora. Então, após vários anos de rejeição após rejeição, e cruéis ridicularizações de todos, incluindo minha própria família, desisti — ele soltou um suspiro. — Eu joguei minhas pinturas no lixo. Uma mulher egípcia rica, de férias, passou pela minha casa e viu as pinturas. Ela bateu na minha porta e disse o quanto admirava meu trabalho. Contratou-me para pintar locais do Egito.

— Como você poderia se nunca tinha estado aqui antes? — ele exibiu um sorriso.

— Ela me trouxe para cá. Eu agora trabalho para ela, para sua família e seus amigos, pintando amanheceres e entardeceres egípcios, barcos no Nilo, as pirâmides, a Esfinge, todos os outros grandes lugares. Eu ganhei o suficiente para continuar minha educação aqui. As excursões guiadas são uma maneira fácil de ganhar créditos para o meu mestrado — ele lhe assentiu com a cabeça. — Então é por isso que estou aqui, contra todas as probabilidades. Porque uma alma benevolente encontrou meu trabalho na lixeira e acreditou em mim.

21

Ela deixou escapar um assobio baixo.

— Uau, que história. Agora é minha vez. Eu também estou aqui contra todas as probabilidades.

As sobrancelhas dele se levantaram e seus olhos se iluminaram.

— E claro, eu preciso saber sua história agora que compartilhei a minha.

— Meu amigo Pete tinha uma licença de piloto particular. Saímos para dar uma volta em seu Piper Saratoga. Batemos. Sua voz vacilou.

— Ah, *Dio* — ele sussurrou.

— Falha mecânica, algo assim... ele morreu. Eu sobrevivi. Tive alguns ferimentos graves, mas eu sobrevivi. Quando estava me recuperando no hospital, eu sonhei com ele. Ele sempre quis vir para cá, sempre brincou que seu avião não chegaria ao Egito, mas no sonho, pediu que eu viesse por ele. Então aqui estou. Celebrando minha segunda chance na vida. Eu não chamo isso de encontro com a morte.

— Você está aqui por uma razão predestinada, então — seu aceno lhe garantiu.

— Não, estou aqui por duas razões predestinadas. Eu estava destinada a encontrar você. E nada vai estragar isso. Mas... — ela estremeceu quando uma pontada de medo atravessou suas entranhas. *Deus, por favor, não o deixe ter um fim trágico como os últimos dois guias* — rezou silenciosamente. E respirou fundo antes de falar. — Espero que você saiba o que aconteceu com nossos dois últimos guias turísticos. Os rumores vão de crimes passionais à maldição do Faraó. Não sabemos mais o que pensar — sua voz estremeceu e ela cerrou os punhos para não tremer.

— Eu não estou preocupado — ele sorriu, os dentes brancos brilhando em contraste com a pele bronzeada. — Estou seguro contra qualquer maldição Egípcia. Sou italiano.

— Isso é um pouco arrogante — Tremeu, já que o medo se recusava a deixar de pairar sobre ela. — Eu acho que maldições são bobagem, mas eu acredito que má energia é prejudicial e mortal. O que alguém chama de maldição pode ser só má energia ou uma entidade do mal que quer prejudicar você. Enquanto houver boa energia, deve também haver a má — sua voz se estabilizou conforme ela falava e se acalmava um pouco. — Mas você parece ser muito... realista.

Ela o olhou nos olhos e viu a inteligência ali. *Não, este cara não acredita em maldições, ou mesmo em carma*, pensou com um sorriso secreto.

Aqueles olhos inteligentes brilharam.

— Essa é uma palavra perfeita, realista. Sempre me disseram que eu sou prático. Mesma coisa, eu acredito — ele olhou para seu relógio e ela voltou para a Terra, as restrições do tempo quebrando a magia do encontro deles. — Eu preciso estudar um pouco mais, *cara*.

— O tempo é uma invasão de privacidade. Uma interrupção tão rude — ela disse com monotonia, sua voz carregada de decepção.

— Eu tenho uma prova chegando. Mas você gostaria de me encontrar no bar amanhã à noite? — seu sotaque sexy tornava impossível de recusar qualquer coisa que ele pudesse lhe pedir.

— Claro. Está destinado — as palavras saíram antes que ela pudesse perceber que soava dramática. — Quer dizer, não há motivo para não nos encontrarmos amanhã.

— Às oito em ponto — um sorriso se espalhou pelos lábios dele.

— Ei, você fez uma rima. Que fofo — ela retribuiu o sorriso.

— A minha primeira em inglês. Talvez eu devesse ser um poeta.

— Você pode me escrever um poema a qualquer hora — eles se levantaram e ele a ajudou a colocar a jaqueta. — Mas sua prova é mais importante. Posso esperar — ela brincou, certificando-se de que ele sabia que era uma brincadeira ao lhe dar uma piscadinha. Então se chutou mentalmente — piscadinhas eram um pouco demais para um primeiro encontro. Mas ela não se envergonhou tentando se explicar.

Ela podia ter flutuado de volta ao quarto sem usar o elevador.

É claro, ela procurou no Google o nome dele assim que passou pela porta. Checou o Facebook e o Twitter. Ele era um dos muitos Antonio Calabreses no mundo, mas não nas pesquisas do Google ou nos sites das mídias sociais.

Ele está falando sério sobre estudar, ela pensou enquanto *twittava* sobre a viagem incrível que ela estava tendo, exceto pelas duas mortes.

Os turistas ficaram boquiabertos com os tesouros preservados de Tutancâmon: sua cama, carruagens e itens pessoais, tais como sandálias, joias e luvas. Eles contemplaram a magnífica máscara mortuária de ouro. Anna Maria Russo deixou uma garrafa com suco de tomate e uma barrinha de proteína no canto como provisões adicionais para o pós-vida do rei.

Antonio permanecia ileso, ainda assim Carmella observava cada movimento seu, rezando pela segurança dele e a dela mesma. Mas ela não podia domar o medo de uma maldição antiga nos guias turísticos do grupo. Mais realisticamente, alguém estava trás de seus guias. Alguém que não precisava de uma maldição para ter sucesso duas vezes.

Muito estressada e agitada para voltar ao quarto, Carmella foi ao bar do hotel depois que seus pais foram dormir. Ela se sentou no balcão curvado admirando a foto que havia tirado de Antonio com seu celular mais cedo naquele dia. Ela não conseguia tirá-lo da cabeça. Quando o garçom apareceu, ela pediu um suco de laranja e notou um homem bem-vestido observando-a, a um banco de distância.

Ele pediu um drinque. Sob as fracas luzes coloridas, seu cabelo escuro brilhava, irradiando uma aura de água ao redor de sua cabeça. As sobrancelhas escuras protegiam os olhos expressivos que não deixavam escapar nada enquanto examinavam o salão e pousaram nela.

Ela não estava interessada em conhecer ninguém — nunca mais. Agora que ela finalmente havia encontrado o seu companheiro de vida, ela não tinha interesse mesmo em um Príncipe Herdeiro.

Ele caminhou até ela e ofereceu o prazer de sua companhia.

— Você é americana, não é? — o indício de uma língua estrangeira reforçou com delicadeza seu inglês.

— Sim, eu sou — ela respondeu para ser educada. — Estamos aqui a passe... de férias.

— Garotas americanas me encantam. Vocês são tão... livres e descontraídas.

— Descontraída posso ser. Livre não estou — ela murmurou.

Um medalhão dourado apareceu por baixo da camisa de seda aberta dele, piscando na luz fraca contra os cabelos escuros do peito.

— Eu sou Hani Terif — sua voz era suave com um leve sotaque. — E você é?

— Carmella Russo —

Ele se inclinou.

— Você está sozinha? — sussurrou.

Ela o encarou e manteve uma expressão séria.

— Não mais. Estou noiva prestes a casar. Vamos marcar a data em breve.

— Ahá — ele puxou uma cigarreira dourada do bolso da camisa e a abriu, estendendo-a para ela.

Quando ele virou a cabeça para falar com o garçom, ela notou um curativo acima da orelha.

— Não, obrigada — ela recusou a oferta de uma longa e afunilada cigarrilha. — Fumar é um vício mortal.

— Que tal um outro drinque então? — ele devolveu a cigarreira para o bolso. — Drinques não são mortais, se tomados com moderação.

Que mal há em deixá-lo comprar outro suco de laranja?

— Tudo bem. Suco de laranja, puro — ela notou o maciço bracelete dourado dele. — Ouro é uma mercadoria tão especulativa, não é?

— Não quando você está usando — seu sorriso amplo exibiu mais do metal precioso, um dente de ouro bem atrás de seu canino esquerdo. — Eu pretendo levar todo o meu ouro comigo para a vida eterna.

— Você é um Faraó? — ela brincou.

— Não exatamente — ele respondeu, com toda seriedade. — Mas eu teria que construir uma pirâmide com uma garagem para 61 carros.

As sobrancelhas dela se ergueram de surpresa:

— Sessenta e um carros?

— Só porque eu dei embora dois Bentleys, para lindas mulheres como você mesma.

— Obrigada — ela aceitou o elogio com um sorriso, mas a ideia de um Bentley estacionado na sua rua a fez rir. — Mas um Bentley não combinaria com o meu bairro.

— Estou querendo dar o terceiro. É uma lei do universo. Esse é um dos mistérios das pirâmides. Falando nela, que tal dar uma volta por elas? Elas são magníficas quando iluminadas — ele puxou a carteira do bolso e tirou um cartão *American Express Plantinum.*

— Em um dos seus carros? — ela perguntou, sem intenção de ir a qualquer lugar com ele.

— Claro. O que você achou que usaríamos? Um camelo? — ele deu uma risada quando o bartender veio e pegou seu cartão.

— Qual você escolheu hoje à noite?

— Estava me sentindo esportivo hoje — o bartender trouxe o recibo de volta e ele rabiscou uma assinatura ilegível. Na verdade, pareciam hieróglifos para ela. — Então, eu trouxe uma das *Ferraris.* Ele apontou pela janela, que ia até o chão, para alguns carros estacionados sob o pórtico. — Ali está. Deixei o manobrista levá-lo.

Ela olhou para fora da janela e viu um carro esporte vermelho, polido e rebaixado. Provavelmente custava mais que seu condomínio.

— É lindo. Mas uma das *Ferraris* você disse? Quantas você tem? — ela girou os cubos de gelo em seu copo com o mexedor de plástico. Ela não conseguia decidir se este cara estava falando a verdade ou tentando lhe dar uma cantada.

— Ah, cinco ou seis. Perdi as contas — ele balançou a mão com desprezo como se estivesse dizendo a ela quantos pares de calça ele tinha. — Mas a que eu tenho hoje, essa é a nova. Eu a comprei semana passada. Tem uma segurança impecável.

— Você diz um alarme super alto? — ela perguntou.

Ele assentiu:

— Isso é apenas o começo. Ela tem janelas à prova de balas.

Ela ficou de boca aberta. Depois a fechou.

— Este é um lugar perigoso, senhorita. E tivemos mais agitação do que o normal ultimamente. Uma célula terrorista que se autodenomina *Deadly Underground* está ativa perto daqui. Perto demais para o meu conforto. Então, eu equipei este carro — ele abaixou a cabeça e apontou para o curativo que ela havia notado mais cedo. — Vê isso? Eu estava dirigindo com as janelas abertas. Não é uma coisa esperta de se fazer, especialmente em um carro com vidros à prova de balas, mas eu queria pegar a brisa. Uma chuva de balas caiu ao meu redor, e uma bala passou zumbindo, arranhando minha cabeça.

A boca dela se abriu de novo.

— Meu Deus. Você se machucou muito?

— Não, foi apenas um arranhão. Nada sério — ele acariciou o local como se estivesse orgulhoso dele.

— Como você evitou sangrar por todo o interior da sua *Ferrari*?

Ele lhe deu um meio sorriso misterioso.

— Eu disse que meu carro era equipado. Ele tem um kit de primeiros socorros no porta-luvas. Eu o puxei e enrolei uma atadura ao redor da minha cabeça e dirigi até o hospital. Eles me remendaram muito bem. Só precisava de alguns pontos.

Ela engoliu em seco.

— Isto é tão... estranho para mim. Digo, nós temos tiroteios e homicídios nos Estados Unidos, mas aqui... — uma mistura de emoções, raiva, medo, revolta, a irritou. Ela agarrou o copo e fez cerrou o punho com a outra mão. — Eu sou tão agradecida por não morar no Oriente Médio, com um medo constante de homens-bombas. Sua voz se levantou já que o tópico a chateava como sempre. — Perdi amigos no 11 de setembro. Por que os israelenses e os palestinos não podem se dar bem e compartilhar o país e os locais religiosos em vez de explodir uns aos outros em pedacinhos? É loucura. Se todos agissem como você, eles se dariam bem sem problemas.

Os olhos dele se estreitaram e a fuzilaram:

—- Você não sabe como é viver assim cada segundo da sua vida. Você vê nos jornais, na internet. Mas você não tem ideia. — ele bateu o copo e o estilhaçou. Cacos voaram pelo bar. Ele ergueu a mão sangrando.

Ela ficou de pé, seus instintos de cuidado assumindo o controle.

— Vou buscar algo para você... — ela olhou ao redor, mas viu apenas escassos guardanapos de coquetéis no bar.

Ela correu pelo saguão até a recepção:

— Você tem alguma bandagem? — o elegante funcionário olhou embaixo do balcão e balançou a cabeça.

— Não aqui. Posso pedir por algumas. Que quarto?

— Esquece. Ela disparou para fora enquanto Hani Terif apontava para sua *Ferrari*. O manobrista saiu de um carro estacionado na frente dela.

— Eu tenho que pegar algo no porta-luvas — ela disse. Em um estacionamento com manobrista, o carro devia estar aberto.

Ela sempre quis andar em uma Ferrari. Nunca tinha nem chegado perto de uma. Abriu a porta do passageiro e entrou. O banco de pele de carneiro roçou em suas pernas nuas como nuvens fofas.

Conforme ela tateava para abrir o porta-luvas, ela tocou seu fecho de prata e a porta abriu em seu colo. Ela remexeu o compartimento, vasculhando entre papeis e encontrando um par de óculos de sol de grife e um relógio de pulso de ouro. Mas nenhum kit de primeiros socorros.

Então ela avistou um objeto que parecia assustadoramente familiar.

Era um Corão, encadernado em couro azul, as páginas desgastadas nas beiradas onde haviam sido manuseadas várias vezes. Onde ela o havia visto antes? Sua mente rebobinou os últimos dias e parou de repente. Yasar! Ele carregava um Corão idêntico a esse. Ele havia lhe mostrado e dito que o conseguira em um leilão.

Um alerta esquisito fez sua pele arrepiar. Ela sentiu algo sinistro sobre este livro. Ela abriu a contracapa, forçando os olhos para ler a cópia no pequeno círculo de luz do porta-luvas. Ela levou uma das mãos a boca para conter um grito. Ali, escrito em inglês, o nome de Yasar Massri, o primeiro guia turístico. Como diabos este tal de Hani acabou com ele, e que conexão ele podia ter com o guia morto? Ele também havia conhecido Samir, a segunda vítima?

Seu coração disparou. Ela engoliu em seco de medo.

Um recibo do cartão de crédito marcava a página no centro do Corão. Com as mãos tremendo e suando, ela abriu a página marcada. Seus olhos se arregalaram com algumas palavras rabiscadas na margem, o idioma estrangeiro para ela. Podia ser hebraico, farsi ou aramaico, pelo que ela sabia. De maneira desajeitada e tremendo, ela arrancou a página rabiscada do livro e enfiou no bolso da saia.

Ela correu de volta para o hotel e para o bar. Hani

estava sentado lá, uma toalha do bar enrolada em sua mão.

— Sinto muito, não encontrei uma bandagem — ela não ousou lhe dizer onde tinha procurado. Antes que ele dissesse uma palavra, ela soltou: — Odeio interromper isso, mas tenho que ir. Foi um prazer conhecer você — com milhares de pedidos de desculpas, ela pediu licença e fugir do bar, meio que esperando um tiro para fazer deste seu último momento.

Ela implorou pelo número do quarto de Antonio ao recepcionista noturno com uma nota amassada de 50 dólares. Ela esmurrou a porta com o punho. Seu coração podia ter acertado a porta, de tanto que batia.

Ele abriu a porta, parecendo mais irresistível que nunca em um short de dormir preto apertado. A visão dele tirou o fôlego dela.

— Antonio, desculpe acordar você, mas isso é muito importante — ela lhe empurrou a página. — O que isso parece para você?

Ele passou os dedos pelo cabelo despenteado enquanto se esforçava para decifrar o misterioso garrancho.

— Não me parece familiar. Como vocês americanos dizem, "não saquei". Onde você conseguiu isso?

— Contarei mais tarde. Você não sabe nem que idioma é?

— É árabe, mas nada dentro do meu vocabulário limitado — ele balançou a cabeça. — Eu falo a língua bem o suficiente, mas as palavras escritas, eu sou um péssimo leitor do idioma.

Ela o pegou de volta com a mão trêmula.

— Isto significa perigo, eu posso sentir.

— Ei — ele pegou a mão dela com seus dedos fortes e a segurou até ela começar a se acalmar e respirar normalmente. — Você não está em perigo. Não vou deixar nada acontecer com você.

— Ah Antonio, eu estou com tanto medo — ela caiu em seus braços. — Eu sabia que não deveríamos ter feito esta viagem. Eles nos aconselharam a não fazer isso. Este sujeito sabe onde estamos ficando. Ele é perigoso, não confio nele!

— Que sujeito?

Ela respirava irregularmente, tremendo mais uma vez.

— Este sujeito Hani que conheci no bar. Começamos a conversar... — ela contou a ele o que aconteceu.

Ele acariciou seu cabelo e a levou até a cama. Ao fazê-la sentar, ele apanhou um lenço e limpou as lágrimas que escorriam pelo rosto dela.

— Você não está em perigo, *cara*. Ele não vai machucar você. Você está perfeitamente segura. Apenas aproveite seu tempo no Egito e nem pense em perigo.

Ela engoliu em seco várias vezes e recuperou o fôlego. Conforme o choque inicial passou, ela pensou com mais clareza.

— Eu não quero que nada aconteça com você também. Nossos dois últimos guias foram assassinados. Por que você não está desesperado com isso? — Por entre as lágrimas, a imagem borrada dele ficou mais nítida quando ela piscou.

Ele chegou mais perto dela e levantou seu queixo com a ponta do dedo:

— Porque eu não estou envolvido com nenhum grupo político ou faço algo que terroristas ou qualquer outra pessoa consideraria um alvo. Eu cuido da minha própria vida e fico fora da política ou causas ou questões que fazem as pessoas morrerem aqui. Eu não falo sobre política com meus amigos e família. Eu nem mesmo quero falar sobre isso com você.

Ela inspirou e expirou como se estivesse em uma aula de yoga. Seu coração desacelerou e voltou ao ritmo normal. O alívio a inundou. Ela tirou a jaqueta e a colocou de lado.

— Você não precisa me dizer suas inclinações políticas. Eu mesma não tenho nenhuma. Eu estou no meio do caminho a respeito de tudo. Nem em um extremo, nem em outro em nada. Eu até voto pelos Libertários — ela cobriu a boca. — Ops, não devíamos falar sobre isso — eles compartilharam um momento necessário de leveza com uma risada.

— Bom, você não tem nada com o que se preocupar. Você está a salvo, e eu também estou — ele se levantou e abriu o minibar. — Aqueles outros guias devem ter se envolvido com algum grupo e causado problemas ou disseram algo errado para a pessoa errada — ele pegou duas garrafinhas de vinho e tirou as tampas. — Algumas pessoas não sabem quando manter suas bocas fechadas — ele serviu o vinho em duas taças e as trouxe. — Toma. Não é a melhor safra da Itália, mas vai servir por agora — eles brindaram com as taças e ele a ergueu até os lábios.

— Espera — ela segurou a taça dele. — Eu quero fazer um brinde. A nós. Ao primeiro dia do nosso futuro juntos. Nós dois sabemos o que está acontecendo aqui. E embora nossos corpos nunca tenham se conhecido nesta vida, nossas almas definitivamente se conheceram em outra vida, talvez séculos atrás. Fomos feitos um para o outro, Antonio. Um milagre me trouxe aqui. Eu deveria ter morrido naquele acidente de avião. Mas em vez disso, estou aqui com você. Eu desafiei todas as probabilidades para chegar aqui, e você também. Nós devíamos nos conhecer e ficar juntos. Você não pode negar isso, pode?

Ele encostou sua taça na dela mais uma vez e a olhou nos olhos, segurando o olhar até ela quase se afogar na sua adoração por ela:

— Não, eu não posso negar. É um milagre que estejamos os dois aqui. Era pra ser. E isso é *amore*.

~

Ela entrou em seu quarto de hotel uma hora depois e engasgou de descrença. O quarto estava um caos; a mobília revirada, o colchão de lado encostado na parede, as cortinas arrancadas de seus varões, suas roupas e itens pessoais espalhados como se um ciclone tivesse atingido o quarto. O carpete estava puxado nas beiradas. Seus frascos vazios de xampu estavam espalhados no chão do banheiro.

Enquanto ela se levantava, entorpecida pelo choque, a porta do armário a atingiu por trás. Uma mão pegajosa cobriu sua boca. O frio cano de uma arma pressionado contra seu pescoço. Ela estremeceu conforme o suor molhava suas costas.

— Uma pena que uma garota tão adorável seja uma xereta — disse a mesma voz de veludo que havia elogiado garotas americanas por seu espírito livre e se gabado sobre 61 carros. Mas agora mandava um arrepio de terror por sua coluna. — Nós vamos dar um passeio, mas agora não vai ser na tumba do Rei Tut. Será na sua. Se você não cooperar.

Ele retirou a mão. Ela arfou para respirar.

— Não, Hani — sem nada para guiá-la além de um instinto básico de sobrevivência, ela deu um grito agudo e mordeu a mão dele.

Ele a acertou com a pistola. Um clarão ofuscante de dor queimou seu crânio quando ela desmaiou no chão. Ao despertar, no limite da consciência, sua primeira sensação foi a do calor escaldante da noite e a pressão no estômago. Quando seus olhos se abriram, ela viu a escadaria do hotel. Sua cabeça latejava. O suor encharcava seu corpo. De novo ela apagou.

A realidade voltou. Ela estava em uma estrada deserta. Atordoada, dizia para si mesma: *estou sonhando. Já tive pesadelos antes. Estou sonhando; eu sei disso.*

De boca fechada, caminhou obedientemente ao lado de seu capturador, sobre a estrada não pavimentada. Eles pararam em um Ferrari estacionada em um beco estreito. Ela a reconheceu como sendo dele quando ele a empurrou e a derrubou com força na terra.

Isto não é um sonho, ela percebeu enquanto um terror absoluto acertava seu coração.

— Onde está? — ele grunhiu.

— Onde está o que? — ela procurou freneticamente em sua mente enevoada por um blefe.

— A página que você arrancou do Corão. Você sabe muito bem o que!

— Eu... dei para a polícia. Logo antes de subir para o meu quarto. Eles estarão aqui a qualquer momento! — suas palavras saíram de maneira confusa. Seu coração batia como um trovão.

— Escute, vadia. Eu seria o prisioneiro em vez de você se você a tivesse entregado a polícia. Agora onde está? — ele empurrou a pistola entre os seios dela enquanto a segurava no chão com seu braço livre, o medalhão de ouro balançando no rosto dela. Ela sentiu seu suor pungente misturado com uma colônia exótica. — Esvazie os bolsos. Eu sei que está com você. Tire.

Exausta de medo e frustração, ela alcançou e retirou a página frágil do bolso. Ele a agarrou.

— Adeus — ele disse com rispidez. — Talvez a gente se encontre de novo naquela grande pirâmide no céu. Ele soltou uma risada sinistra enquanto apontava sua arma para ela, prolongando sua agonia.

Ela se encolheu, os olhos bem fechados, esperando pela dor, escuridão, o além. Mas nada aconteceu. Ela abriu os olhos, mas Hani ainda estava sobre ela, a arma apontada para o seu peito. Seus olhos se arregalaram quando ela viu uma figura indistinta agachada atrás de seu suposto assassino.

Ela ofegou. *Antonio!*

Para disfarçar a surpresa, e também ganhar tempo para seu salvador, ela acusou:

— Então foi você quem matou Yasar!

Hani respondeu:

— Sim, e o outro guia também, e vários soldados israelenses quando eu escapei da fazenda Bishara. Eu fui o único membro do *Deadly Underground* a sobreviver — ele se gabou.

Antonio avançou rastejando em silêncio, agora a menos de dez passos de Hani. *Pense rápido!* Carmella exigiu de sua mente ainda confusa.

— Posso me maquiar? Não quero que ninguém me encontre assim! — ela balbuciou, seus olhos se lançando em direção à silhueta de Antonio, uma curta eternidade para salvá-la.

Uma confusão passou rapidamente pelo rosto de Hani; suas sobrancelhas se franziram, seus lábios se abriram em um sorriso de desdém ridículo.

Antonio surgiu das sombras e saltou nas costas de Hani. Hani girou-se para se livrar de seu agressor, mas um segundo depois, atirou em Carmella.

A hesitação momentânea salvou sua vida. A arma rugiu, mas o tiro passou longe de sua marca. O baque forte do ataque de Antonio deviou a mira de Hani de seu alvo.

Carmella ficou paralisada por medo e por um fascínio terrível enquanto os corpos musculosos lutavam no chão, escorregadios e brilhando de suor. Outro tiro foi disparado. Seu clarão brilhante mostrou os homens agarrando a arma, pela própria vida. Um grunhido, um terceiro tiro, silêncio. Tudo havia terminado. Ambos os homens deitados como se estivessem mortos.

Ela saltou e correu até o corpo debruçado de Antonio, procurando em seu pescoço por um pulso enquanto ela colocava a cabeça dele em seu colo.

Antonio abriu os olhos e fez uma pergunta:

— Você está bem?

— Sim! E você?

— Estou um pouco machucado — ele agarrou o ombro e se encolheu. — Mas ele está... acho que o deixei pior — ele se apoiou nos cotovelos e limpou a terra das calças.

Esforçando-se para ver no escuro, ela olhou para Hani. Os olhos sem vida olhavam para frente. Um fluxo de sangue escorria de sua boca aberta.

— Ele não está se mexendo. Não parece estar respirando também.

— Então ele já está nos portões do céu — Antonio esforçou-se para levantar, mas ela o puxou de volta.

— Não, não se levante. Eu vou chamar uma ambulância — ela inspirou o ar quente do deserto enquanto tomava fôlego. — Como você soube vir até aqui?

— Eu estava a caminho do seu quarto para devolver a jaqueta que você deixou no meu quarto. Ouvi seus gritos e segui você até aqui. Aquele texto... parece ser importante. Você deve levá-lo a polícia, mostrar a eles a lista. Não posso ir com você. Fui atingido. Não acho que devo me mexer até um médico chegar. Pegue o meu celular no bolso da jaqueta e disque 510. Esse é o número da emergência.

— Sim, por favor fique bem... — ela sussurrou, colocando gentilmente a cabeça dele no chão repleto de areia. Seus olhos se fecharam enquanto ela pegava o celular no bolso dele. Limpando a mão suada na blusa, ela discou o número e segurou o celular no ouvido dele. Ele recitou uma sentença rápida em árabe e acenou para ela.

Ela caminhou na ponta dos pés até o corpo sem

vida do terrorista, enfiou dois dedos no bolso dele e tirou o papel gasto e amassado que havia custado muitas vidas. Depois, deslizou o precioso item por entre os seios.

Uma ambulância chegou rápido até deles e os levou ao hospital. Ela se sentou com Antonio na ambulância, apertando a mão dele, seus olhos grudados no sinal errático que monitorava seu batimento cardíaco.

~

O embaixador dos Estados Unidos entrou no quarto de hospital onde Antonio estava sentado bebendo café. Carmella o observou durante cada minuto de sua recuperação, apaixonando-se ainda mais profundamente pelo herói da vida real que ela sempre esperou e sonhou.

O embaixador retirou o chapéu e sorriu para o corajoso casal.

— Jovem, e senhorita — o embaixador se dirigiu a cada um — não apenas vocês têm sorte de estarem vivos, mas ambos são heróis. Os Estados Unidos da América devem muito a vocês por ajudarem a evitar um massacre. Nós sabíamos que o *Deadly Underground* estava prestes a atacar, mas não sabíamos onde. Vocês salvaram a vida de sete membros israelenses do parlamento e uma delegação da ONU. Aquela lista que vocês nos deram era uma lista de alvos do *Deadly Underground*. Devemos a vocês dois, e espero que nos avisem se houver algo que possamos fazer por vocês ou suas famílias.

Antonio olhou para sua recém noiva e pegou sua mão.

— Bom, Senhor, há algo que você pode fazer pela minha família, já que estou adquirindo uma novo muito em breve. Está é minha futura esposa Carmella. O sonho da sua vida é casar-se com um italiano na Itália e trazê-lo de volta para casa, como seus bisavós fizeram. Só que este casamento não é arranjado.

— Ah, foi arranjado sim — Carmella o corrigiu, sorrindo para o embaixador. — O universo o arranjou, muitos anos atrás quando eu fiz meu primeiro pedido. Agora que meu desejo já foi concedido, gostaria de agradecer. Então, estou convidando você e um acompanhante para nosso casamento, que eu sempre sonhei que fosse na Capela Sistina. E para aceitar sua oferta de ajuda... — ela lançou um olhar amoroso a Antonio. — Eu sei que casamentos não são permitidos lá, não permitem nem mesmo fotos, mas nenhum de nós tem conexões no Vaticano. Alguma chance de você usar sua influência para deixar, digamos, não mais do que doze convidados entrarem na capela?

Os olhos do embaixador Wilson se moveram enquanto ele considerava a proposta.

— Hum, esta é uma tarefa difícil. Não posso prometer nada, mas quando o pessoal no Vaticano ouvir sua história, como poderão negar? Eu sei que o Michelangelo gostaria de ver vocês trocando votos cercados por suas primorosas obras de arte. Eu também sei quão românticos os italianos são. Mas pode ser que não seja amanhã. Roma não foi construída em um dia, vocês sabem.

— Claro, Senhor — Antonio respondeu pelos dois. — A Capela Sistina esperou quinhentos anos por nós, nós com certeza podemos esperar um pouco por ela.

~

O voo de volta para Londres partiu exatamente no horário. De volta à classe econômica sentou-se Professor Everett, digitando anotações em seu laptop, Janice Everett admirando seu novo rosário turquesa e Jeff Sullivan criando um novo jogo de computador, "A Vingança de Ramsés".

Na fileira central sentou-se Anna Maria Russo, estudando o diagrama das saídas de emergência da aeronave, e Carmella sentou-se no assento do corredor. Antonio sentou-se ao seu lado.

Conforme o avião atingiu altitude de cruzeiro, Carmella empurrou seu banco e o reclinou. Um homem passou pelo corredor, virando as páginas de um pequeno livro azul. Ele o deixou cair exatamente ao seu lado, e quando ele se abaixou para pegá-lo, ela espiou a capa. Aquela imitação de couro, a escrita dourada, as páginas gastas...

Uma onda de pânico a invadiu. Ao agarrar o braço de Antonio, ela procurou pelas palavras, incapaz de formar uma frase coerente.

— É... é o Corão azul. Está com ele! Carmella arfou, o coração na garganta.

Antonio riu, segurando seu rosto:

— Não há nada com o que se preocupar. Estamos a salvo, nada vai acontecer conosco — ele a beijou com gentilmente, e enfiou a mão no bolso.

Puxou um pequeno Corão de couro azul e abriu no meio, revelando a lacuna desgastada onde a página mortal havia sido arrancada.

— Sabe — ele disse — eu adquiri um pequeno souvenir para mim.

CORPOS DO PÂNTANO

O HOMEM macilento estava deitado de lado em posição fetal. Sua coriácea pele bronzeada lançava um brilho fraco na luz solar que minguava. Além de um chapéu de couro marrom e um cinto, ele não usava mais nada. Mas dificilmente ela era um banhista nu aqui no pântano com apenas dois acessórios para complementar seu traje de aniversário.

Ele era um cadáver de dois mil anos de idade.

— É extraordinário. Parece que pode ter morrido ontem. — o estudante de arqueologia balançou a cabeça admirado enquanto seu mentor, o Professor Wilhelm Jorgensen e outros cinco estudantes encaravam o corpo perfeitamente preservado.

O Professor Jorgensen levantou-se de sua posição ajoelhada na beira do túmulo raso, tirou seus óculos e virou-se para os alunos impressionados. Enfiando suas mãos fundo nos bolsos para protegê-las do vento dinamarquês que castigava, ele explicou:

— Este é apenas um de vários, meus amigos. Mais de mil desses corpos foram encontrados em pântanos aqui em Tollund Fen, bem como no Norte da Alemanha e na Holanda. A turfa o manchou e seus ácidos ferrosos o preservaram. A examinação do pólen nos arredores nos diz que esses enterros aconteceram por volta de dois mil anos atrás.

Geir Svenning se afastou dos colegas, todos digitando em seus tablets. Ele parou sobre o túmulo, seu cabelo loiro voando em todas as direções, seu olhar zeloso fixado na expressão plácida do homem morto. A cabeça, enterrada no solo mostrando apenas três-quartos do perfil, expunha pálpebras pesadas e um nariz fino, os lábios abertos revelando dentes amarelados. Tufos de cabelo empoeirados polvilhavam a pele esticada sobre o crânio. Um osso do braço exposto se projetava da carne remanescente em um ângulo reto até os joelhos dobrados. Geir antecipou a sensação da carne antiga sob seus dedos sensíveis.

— O que nós vamos fazer com ele, Professor? — Geir procurou no bolso pelo seu confiável pacotinho de antiácidos.

— Escavadores do Museu Nacional irão encaixotá-lo e enviá-lo para Copenhague para estudá-lo. Com a permissão deles, poderemos fiscalizar a investigação e descobrir mais sobre esse velho camarada misterioso. — ele tirou algumas fotos do cadáver com seu celular. — Até darem a ele um nome adequado, nós o chamaremos de Homem de Tollund.

No museu de Copenhague, uma equipe de arqueólogos fez outra descoberta devastadoras enquanto examinava o Homem de Tollund. Ao remover um pedaço de turfa do lado da cabeça, encontraram uma corda de couro bem apertada ao redor do pescoço do homem. Enquanto Geir e o Professor Jorgensen observavam, um rosto espantado encontrou o outro conforme o quebra-cabeça se encaixava: O Homem de Tollund havia sido enforcado.

Geir virou a página de seu caderno amarelo. Vinte anos haviam se passado desde o dia que ele começara as anotações. A sensação das páginas instantaneamente o levou de volta ao dia em que ele esticou a mão direita para tocar o rosto antigo. Surpreendentemente, não parecia com couro. Era dura e lisa, fossilizada, como as sandálias que ele havia escavado de uma cidade desaparecida no norte do Iraque, que data de 1500 A.C.

Ao voltar para o caderno, ele revisou as anotações rabiscadas da palestra do Professor Jorgensen depois de determinarem o motivo da morte do Homem de Tollund: ele fora morto silenciosamente e oferecido aos deuses em um ritual pagão nórdico. Ele podia ter sido um padre, ou simplesmente um mártir, renunciando à sua vida terrena por seus sobreviventes. Sua última refeição, após a investigação de seu trato digestivo, havia sido grãos e sementes de girassol, ingeridas para serem germinadas e crescerem na jornada da deusa pela paisagem da primavera. *Sementes de girassol!* Geir maravilhou-se. *Ainda intactas e não digeridas após dois mil anos!*

Ele fechou os olhos quando a imagem de vinte séculos atrás apareceu em sua mente.

— Geeeeir! — o grito penetrante de sua esposa desfez seus pensamentos e o trouxe com tudo de volta à Terra; para sua vida de professor de arqueologia sobrecarregado de trabalho e para seu casamento tragicamente infeliz. Gudrun, sem dúvida, exigiria que ele fizesse outra tarefa doméstica: tirar o lixo ou lavar sua caneca de café ou procurar pelo controle remoto que ela havia perdido.

Ele a encontrou relaxando no sofá da sala de estar, pintando suas unhas de vermelho sangue intenso, um contraste grotesco com sua túnica laranja e seu cabelo amarelo canário.

— Faça-me um lanchinho, querido, estive muito ocupada o dia todo fazendo compras, ficando em longas filas, meus sapatos quase enforcando meus pés... — ela se esticou e bocejou. — Eu vou te compensar. Faço o jantar para você uma noite na semana que vem.

Geir não se importaria tanto se ela só quisesse relaxar pela casa, lendo revistas e jogando na internet. Ávido para lhe dar tudo o que ele podia pagar, ele contratou uma empregada e uma cozinheira. Mas tudo o que ela havia produzido em uma década e meia de casamento foram duas refeições queimadas além do reconhecimento no primeiro e décimo aniversário deles. Suas exigências incessantes e pedidos chorosos por mais dinheiro a tornaram insuportável de se conviver.

— Por que você não se divorcia dela? — seus colegas, conscientes da sua situação, perguntavam-lhe repetidas vezes.

— Simples — ele respondia — não posso pagar por isso. Ele estava mais do que em uma rotina, estava em um túmulo; uma catacumba nas profundezas da Mãe Terra da qual nenhum homem mortal podia escapar. Assim como o Homem de Tollund sacrificado que ele tinha examinado vinte anos atrás. Enforcado, jogado em um túmulo, um sacrifício para os deuses, um sacrifício, um sacrifício...

A palavra assobiou em sua mente como uma frase musical enquanto ele despejava uma mistura de sementes e nozes em uma tigela. Quanto Gudrun realmente estaria disposta a sacrificar? Será que ela algum dia sacrificaria algo por este casamento... ou pelo seu fim misericordioso?

As palavras do Professor Jorgensen ecoaram sobre duas décadas:

— Quem matou este homem dois mil anos atrás? — o professor havia feito a pergunta retórica para a sala, trinta ansiosos arqueólogos juniores, cada um querendo fazer a descoberta que anunciaria seu sucesso. — Dois mil anos e nunca saberemos.

— Eles nunca saberão — Geir repetiu as palavras do Professor Jorgensen em voz alta, ecoando a voz profundamente intrusiva, o tom que ele sempre tentava imitar quando lecionava para seus próprios estudantes. Tentando acalmar as mãos trêmulas, ele colocou a tigela de sementes e nozes na mesa em frente a esposa.

— O que você está resmungando? — Gudrun perguntou, fechando a tampa do frasco enquanto o odor pungente de esmalte se dissolvia no ar.

— Nada, nada. Continue fazendo... seja lá o que você faz — ele saiu da sala de estar e se dirigiu ao closet de Gudrun. Acendeu a luz e diante dos seus olhos surgiu um guarda-roupa que rivalizava com o de uma modelo famosa. Ele examinou a coleção de roupas coloridas: vestidos floridos, suéteres de caxemira, calças de couro, todas ostentando marcas de estilistas. Viu uma pilha de chapéus prestes a cair da prateleira de cima; bolsas de todas as cores do arco-íris penduradas em ganchos na parede oposta. Compartimentos de plástico aos seus pés armazenavam sapatos suficientes para calçar uma família de centopeias. Seus olhos vagaram um pouco mais longe, para o canto oposto, onde ela guardava seus acessórios. Tudo de couro genuíno, nada além do melhor. Quantos jacarés, cordeiros e alces haviam sacrificado suas peles para vestir Gudrun Svenning em um elegante esplendor? Mais sapatos, cintos e bolsas cravejados e adornados com peças douradas reluzentes. Ele esticou um braço e passou os dedos pelas tiras de couro penduradas em um cabideiro giratório. As fivelas tilintaram com gentileza à medida que encostavam umas nas outras, cintos marrons, vermelhos, tantos cintos.

Ninguém nunca vai saber.

— Você está certo, Professor — Geir respondeu ao lamento de vinte anos. Ninguém vai saber.

O ruído das solas de Geir ecoaram pelo corredor escuro conforme ele se aproximava do laboratório de pesquisa. Iluminando com a lanterna a fechadura, ele colocou a chave e apoiou-se na porta pesada. Ela rangeu em suas dobradiças enferrujadas quando ele entrou, abriu a caixa de vidro com uma chave menor e recuperou o item que precisava. Colocando-o em seu bolso, ele o substituiu por um próprio e fechou a caixa. Então, levantou uma garrafa de ácido sulfúrico concentrado de uma prateleira no alto, esforçando-se para assegurar que o líquido mortal não escaparia da rolha de borracha. Ele enfiou um antiácido na boca quando saiu do laboratório, trancou-o e retornou ao carro.

~

Ele segurou o pulso dela entre o polegar e o indicador para ter certeza de que ela estava morta. A corta de couro antiga quase havia se soltado, mas ele apertou tão forte quanto sua força permitia enquanto observava o último respiro de sua esposa sair de seu corpo espancado. Os lábios tornaram-se azuis quando a cor abandonou as bochechas, desbotando para um mármore esbranquiçado. Outro ritual pagão — no entanto, um muito moderno.

Ele retirou as roupas dela, descartando o roupão de seda, arrancando os chinelos de arminho dos pés gelados. O sol havia baixado; a escuridão envolvendo o cômodo. Seus olhos se ajustaram às sombras escuras enquanto ele tirava o esmalte vermelho de unhas dela com um cotonete de algodão e um frasco de acetona que ele havia encontrado em sua penteadeira entre os séruns e cremes.

~

O hodômetro indicava que ele estava a 56 quilômetros de Aarhus. Ele estacionou perto de um pântano semelhante àquele no qual encontraram o Homem de

Tollund e cavou uma cova de pouco mais de um metro e espalhou sementes de pólen ao redor das margens. Trabalhando sob os feixes silenciosos dos faróis do carro, ele flexionou as mãos com luvas, arrastou o corpo da esposa para fora do carro e tingiu a pele de marrom com a turfa. Arrumando-o em posição fetal, ele o jogou na cova, a corda bem amarrada no pescoço. Jogou ácido sobre as mãos e rosto para emular uma rápida decomposição e destruir seus traços faciais e impressões digitais. Depois, empurrou a turfa de volta para a cova.

Com o ritual simples finalizado, ele correu até o carro, jogou a pá no banco de trás e foi embora, mastigando sementes de girassol.

Agora Gudrun pertencia aos deuses — uma mulher de Tollund.

— Sim, inspetor, ela está desaparecida há mais de duas semanas. Eu comprei para ela um ticket para Copenhague, apenas para tirá-la de casa. Eu a negligenciei terrivelmente. Estive tão ocupado nas últimas semanas.

O inspetor Larsen assentiu, mastigando o bigode enorme com um agitado lábio inferior.

— Você verificou com a polícia de Copenhague?

— Sim, várias vezes. Não há sinal dela — Geir forçou uma angústia em sua voz e torceu as mãos.

O inspetor abriu caminho passando por Geir em direção ao quarto e examinou a área. Geir o guiou até o closet de Gudrun, acendeu a luz e deixou o inspetor dar uma olhada nas roupas. Suas mãos enormes agarraram vestidos, jaquetas e calças.

— Ela não levou muita coisa, não é? — o inspetor virou-se para Geir, que ainda torcia as mãos, tentando forçar lágrimas.

Geir atrapalhou-se com as palavras, o cabelo caindo nos olhos quando pegou o pente de prata de Gudrun e tirou os fios rebeldes da testa.

— Bom, ela... ela sempre teve muitas roupas, você conhece... você conhece as mulheres... — ele deu uma risadinha. O inspetor não se juntou a ele. Em vez disso, virou-se e andou em direção à penteadeira de Gudrun, exatamente como ela a havia deixado. Ele contemplou a coleção de cosméticos com um sinal de questionamento no olhar. Analisou um item por vez, lendo atentamente os inúmeros frascos de esmalte: *Copper Frost, Cosmic Crimson, Sky Blue Pink.*

— Isso é um tom de vermelho — ele comentou sobre o *Cosmic Crimson*. Em seguida, abandonou os esmaltes e estudou as sombras, os pós faciais, todos com tons descritivos: *Tawny Peach, Barely Beige, Blushing Pink.* — Uma mulher que usa tanta maquiagem não deve ser difícil de encontrar - ele observou.

— Ela não tinha razões para fugir. Nenhuma. Éramos tão felizes juntos — Geir enfatizou essa última frase.

— Ela realmente tinha tudo hein? — uma sobrancelha grossa levantou e desapareceu sob a sombra do chapéu do inspetor enquanto ele se virava para sair do banheiro de Gudrun.

— Ela tinha quase tudo que uma mulher poderia querer — Geir insistiu, balançando a cabeça. — Eu sinto muito sua falta.

— Tenho certeza que sente. O inspetor observou os móveis antigos, o tapete turco de seda. Depois de anotar mais informações em seu bloco de notas, ele assegurou a Geir que entraria em contato e virou-se para ir embora. Geir o viu sair e jogou outro antiácido na boca.

Com uma faísca de *déjà vu* acendendo sua memória, o Professor Geir Svenning respondeu a uma intimação por telefone durante uma aula. Um corpo recentemente descoberto perto de Aarhus... trabalhadores cortando turfa o descobriram... era uma mulher... similar a todos os outros... Gostaria de vê-lo?

Ele viu o inspetor Larsen no local com vários estudantes espiando a cova, exibindo olhos arregalados e bocas abertas de espanto.

— Qual a sua opinião sobre isso, Professor? — o inspetor o cumprimentou, o dedo no botão de um pequeno gravador digital. Dois estudantes se aproximaram de Geir e apertaram seus gravadores, colocando-os no seu rosto.

— É... é outro dos sacrifícios pagãos — ele começou, olhando brevemente a cova de três anos da mulher, a corda de couro intacta como na noite em que ele a havia apertado. — Esta mulher viveu durante a Idade de Ferro no norte da Europa, no início da Era Cristã.

Ele concluiu sua declaração com o famoso axioma do Professor Jorgensen:

— Mas ninguém nunca vai saber — ele adicionou, rindo: — Nosso bom inspetor aqui provavelmente ainda estava fazendo patrulha quando este crime aconteceu. Você está perdendo tempo tentando resolver este caso, senhor. Deixe este daqui para os arqueólogos.

O inspetor sinalizou para os estudantes seguirem em frente. Eles se afastaram após uma última olhada para a cova, incapazes de esconder suas caretas e risadas compartilhadas.

— É muito interessante, Professor. Muito obrigada por nos esclarecer — o inspetor esticou a mão calejada e Geir a pegou. Eles apertaram as mãos.

— Por nada, inspetor. Agora tenho que ir, tenho uma aula às onze — ele sorriu, virando-se com calma e se dirigindo ao seu carro, enxugando as gotas de suor do lábio superior.

— Apenas um último item, Professor Svenning — a voz do inspetor soou em seus ouvidos como as batidas do sino do juízo final.

— O que é? — ele parou e deu meia-volta, lutando para manter a tensão fora de sua voz quando seu coração começou a bater com força.

— Você deixou passar um pequeno detalhe na sua examinação superficial desta mulher da Idade de Ferro, Professor. Pagãos de dois mil anos de idade não passam esmalte *Cosmic Crimson* nas unhas do pé.

SEU PRÓPRIO CHEFE

Cidade de Nova Iorque, 1933

O policial novato Jimmy DeBari aproximou-se do tenente Frank Russo enquanto a ambulância transpor-
tava a última vítima para o necrotério.

— Tenente, Senhor, não sei como você conseguiu
— DeBari soltou. — Mas eu certamente espero soluci-
onar um caso tão grande um dia.

— Você irá, filho, você com certeza irá — Frank
levantou o coldre contra o quadril. — Quando você
estiver no meu cargo, assassinatos como este serão
pouca coisa. Talvez você acabe com um sindicato.
Isso será algo para contar aos seus netos.

— Contanto que eu possa contar a eles que o conheci, Senhor, é o suficiente para mim! — DeBari sorriu.

Frank virou-se para o imponente capitão George Murphy:

— Fiz tudo o que eu podia aqui, Murph. Vou para casa ver a última parte de *Amos 'N Andy*.

— Sim, Frank, vá para casa— o capitão Murphy olhou para o jovem tenente com seus olhos de mexilhão e cruzou o cômodo do armarinho cheio de tiros, quase escondendo o mancar que havia adquirido após ser atingido na Grande Guerra. — Um dia... — ele murmurou para si mesmo, tocando seu distintivo — Um dia...

Frank subiu os degraus da varanda do seu prédio de três andares e entrou no corredor estreito que sempre cheirava a soda cáustica e alho. *Outro caso de assassinato resolvido*, ele pensou com um sorriso presunçoso, e outra conquista do mais jovem tenente da Força Policial da cidade de Nova Jersey. Aos trinta, ele já havia reprimido a fonte de uma das mais antigas operações de agiotagem da cidade, a poderosa família Lionetti. Ele havia enviado um exército de *compari* e aproveitadores para a prisão perpétua. Ele tinha seus jeitos, ele tinha seus métodos, e tinha suas fontes, mas acima de tudo, ele tinha dois lábios bem fechados que só abriam para pratos amontoados de massas e o vinho tinto caseiro de seu pai.

Frank entrou em seu apartamento de quatro quartos, nos fundos, e abriu a janela que dava para um duto de ar. — Tenho que sair desta espelunca — ele murmurou, enquanto preparava um sanduíche de mortadela. Ele se dirigiu ao rádio Zenith e mexeu nos botões.

~

O Capo Antonio Lionetti, ou "Chefe Tony" para seu pequeno exército de soldados e "operários", fervia de raiva por entre os dentes cerrados. Depois de seu aprendizado na notória Gangue Roxa de Detroit, ele havia finalmente alcançado seu atual ápice de poder. De um simples operário, ele ascendeu na hierarquia, provando ao velho "Bigode Petes" que ele era capaz de uma proficiência homicida na arte de assassinato por encomenda, resolvendo disputas sindicalistas ao quebrar membros com uma precisão quase cirúrgica, e ao lançar bombas através da janela de donos de loja que descumpriam acordos.

Todo o seu trabalho duro agora corria o risco de ser anulado. Ao olhar mais uma vez para a manchete notória do jornal, ele bateu o punho na mesa. O cinzeiro virou-se enquanto uma nuvem de cinzas e pontas de charutos mastigadas enchia o cômodo, respingando em seu terno listrado.

— De novo! Ele fez de novo! — amaldiçoando em voz baixa, ele se lançou ao telefone e discou o número do Capitão Murphy. Dois toques, depois três. — Onde está aquele palhaço? — ele grunhiu, quando a

61

voz sonolenta de Murphy substituiu o toque monótono.

— Você — Boss Tony disse com rispidez. — Como Russo se safou disso, quer me dizer? Ele eliminou um dos nossos melhores homens! O que tá acontecendo aqui, espertinho, você não tá fazendo seu trabalho?

— Eu não sei, Chefe. Deus me ajude, eu não sei. Russo não quer nos dizer como resolveu esse caso ou qualquer um dos outros. Sua boca é um túmulo.

— Sim, bom, o resto dele também estará num túmulo a menos que você pare de brincar e descubra como este cara descobre todos nossos podres. Eu posso cortar você com a mesma facilidade com que corto uma alcatra assada ao meio! — ele bateu com o telefone no gancho, deixando um atordoado Capitão Murphy agonizar, pela décima vez, a respeito de como Frank Russo expôs todas as nefastas operações deles.

— Ah, pura sorte, tem que ser — Murphy resmungou. Satisfeito com a sua teoria, ele se revirou para recuperar o sono que havia perdido.

Sentado em sua cadeira de escritório na Sede da Polícia da Mulberry Street, Frank Russo atendeu o telefone que ressoava.

— Ei, Russo — a voz era tão familiar quanto a da própria mãe ecoando pela Mott Street para que ele voltasse para casa para comer. A enigmática voz sem rosto que não falaria com ninguém da corporação além dele. A voz que todo mundo sabia que era sua fonte, e que preferia ver o Armagedom a revelar sua identidade.

— Sim, o que você tem dessa vez? — Frank fez com que todas as cabeças se virassem para ele enquanto apoiava os pés sobre a mesa de madeira lascada.

— Uma pessoa que não tem que beber gim caseiro é o Chefe Lionetti — a voz continuou, suave como um shot de uísque escorrendo por uma garganta seca. — Ele tem contrabandeado desde antes da Lei Seca, pela prática.

— É mesmo? — Russo encorajou, assentindo. Os outros policiais se reuniram ao seu redor em antecipação à próxima profecia. — E o que, diga-me, podemos fazer a respeito dessa operação ilícita?

— Ele tem um grande carregamento previsto para chegar no início da Montgomery Street às duas da madrugada de amanhã. Alguns milhares de galões de bebida, a serem entregues a todos os seus confiáveis distribuidores. Agora, nós sabemos que contrabando é contra a lei neste grande país, não sabemos, Russo?

— Bom, todo mundo tem que ter um hobby. Valeu, parceiro. Depois disso, Lionetti vai desejar ter ficado sentado no poste — ele colocou o fone no gancho e olhou para os membros do esquadrão, um par de olhos por vez, cada um mais aberto e ansioso que o outro.

— Vão para casa e durmam um pouco. Depois nos encontraremos no início da Montgomery Street às duas da manhã. Em ponto. E vocês verão a história se repetir porque fomos convidados a reencenar a Festa do Chá de Boston, estilo Jersey!

A última coisa que o Chefe Lionetti esperava é que aquele Russo com cara de penugem acabasse com a sua operação de contrabando depois de todo esse tempo.

— O mundo vai desabar sobre esta cidade se não agirmos — ele disse de maneira calma ao Capitão Murphy, tão calma que o assustou. Por que ele não gritou e bateu os punhos como sempre fazia? Com isto ele podia lidar. Mas quando o Chefe Lionetti falava tão calmamente e com tanto cuidado, seu charuto preso entre os lábios finos enquanto falava, Murphy estreitou os olhos, desconfiado. Então ele improvisou com o que considerava uma epifania:

— Já sei, Chefe. Vamos armar um trabalho falso. Lionetti irá até a cena, e nada vai arruinar a entrega de hoje à noite. Nós o mandaremos para o outro lado da delegacia, até aquela seção polonesa se você quiser.

— Você está brincando? — Chefe Tony franziu o cenho. — Lá eles consideram um crime se alguma dona de casa não esfregou a varanda o suficiente. Mande-o para a Joalheria do Bart. Diga a ele que vai

64

haver um assalto e ele tem que cuidar disso com seu distintivo prateado e sua 45.

Murphy esticou os dedos.

— E quando chegar lá, o que os donos devem fazer quando ele começar a atirar antes e perguntar depois?

— Nada — Chefe Tony sorriu. — Eles estarão muito ocupados jogando pôquer nos fundos para perceberem que ele está lá.

~

Mas a voz suave como seda disse a Frank Russo onde estar. Ele chegou, fez seu trabalho, e mais uma vez surpreendeu a todos, menos o grupo no cômodo dos fundos da Joalheria do Bart, cujo jogo de pôquer noturno continuou sem parar.

~

— Livre-se dele — Chefe Tony exigiu. — Já chega. Eu fui bonzinho por muito tempo. Se você não se livrar dele, eu vou.

Capitão Murphy observou em um silêncio atordoado enquanto Chefe Tony mastigava o charuto por entre os dentes manchados.

— Estou convencido de que ele tem uma fonte. Acabar com ele não vai resolver nada, Chefe. Nós temos que descobrir sua fonte. É ela de quem nos livramos, não ele. Posso mandá-lo embora e nunca mais teremos notícias dele. Os caras na delegacia continuam me dizendo que ele recebe essas denúncias anônimas: essas conversas curtas de um minuto, apenas fragmentos de diálogos, quase como se em código, e Russo as segue. Mas é isso que me deixa intrigado. Quem pode ser?

Chefe Tony balançou a cabeça:

— Não sei. Mas não vou perder meu tempo brincando de Charlie Chan. Vou lhe dar 24 horas. Vou botar meus rapazes nisso também. Seus olhos olharam para o capitão como duas bolas de bilhar, o opaco branco amarelado combinando com seus dentes como acessórios de guarda-roupa.

—Claro, Chefe. Vou tratar disso já — Murphy inclinou a cabeça em respeito e desapareceu.

A enteada do Chefe Tony, Anna Maria e revelou seus sentimentos pelo homem que havia capturado seu coração. Seu nome era Frank Russo.

— Ele é forte e lindo. Tem um cabelo ondulado preto e ombros largos, as bochechas lisas, olhos verdes brilhantes e se veste tão bem...

Tony tirou o charuto da boca pela primeira vez desde às oito horas daquela manhã. Inclinando-se para frente, ele estendeu o braço e deu um soco que enviou Maria cambaleando para o outro lado da sala até se chocar com a parede oposta, as mãos espalmadas de maneira protetiva pelo rosto machucado.

— Sua garota estúpida! — ele explodiu, olhando para além dela pela janela, seus olhos fixos em uma árvore desalinhada que apresentava uma semelhança grotesca com sua enteada enquanto ela se acovardava encostada na parede. — Você não vê o que ele está tentando fazer! Ele quer controlar meu império e agora está arruinando sua reputação, empregando-a como canal direto para os meus negócios! Saia daqui! Agora!

Anna Maria saiu da sala, dando soluços irregulares enquanto alcançava a porta.

— E se você mencionar o nome de Frank Russo de novo, eu coloco você em um convento!

A voz soou um pouco irritada, mas ainda sim mantinha sua cadência fluida.

— Eles estão atrás de você, querido. Eles sabem que você tem uma fonte e estão tentando nos separar. Agora o que fazemos?

— Exatamente o oposto do que eles esperam que façamos. Nada — Frank Russo polia uma abotoadura dourada e a inseriu no buraco da manga da camisa, segurando o gancho do telefone entre o pescoço e o ombro. — Só me diga se você sabe de algo que vai acontecer hoje à noite.

— Bom, sim, na verdade, eu sei. A Taverna do
Dom é o lugar para se estar hoje à noite. O Prefeito
Craig vai aceitar uma generosa propina do emprei-
teiro Scarlatti para aquela nova escola. Hoje à noite,
entre sete e nove. Você conhece o *Duesenberg* com
detalhes prateados dele, não?

— Claro que sim. O prefeito, hein? Tenho que
estar lá. Não posso ficar apenas sentado e observar
minha cidade cair nas mãos de um líder corrupto.
Apenas diga à impressa para separar aquelas grandes
letras maiúsculas que eles usam para manchetes extra
grandes. Vejo você na Página Um.

O esquadrão observou seu líder. As duas palavras
"Prefeito Craig" eram tudo o que eles precisavam ouvir. Atordoados, eles ouviram enquanto o tenente
lhes disse que ele seria capaz de resolver este caso.
Este será um muito limpo, e muito fácil também.

A cidade de Jersey estava se preparando para uma
nova eleição para prefeito e os punhos do Chefe
Tony cerraram-se o suficiente para esmagar um rato
de esgoto até o esquecimento.

— Suas 24 horas acabaram há muito tempo, parceiro! — ele explodiu com o Capitão Murphy — A
betoneira de cimento já está pronta para fazer dele
uma curva a direita na Railroad Avenue. E eu não

vou mais perder tempo. Ele está nos arruinando, seu *gavone.*

— Vai com calma, Chefe — Capitão Murphy tentou apaziguar o Chefe Tony com seu sorriso Colgate. — Tenho boas notícias. Você vai amar. Eu despedi Russo ontem. Eu o botei na rua. Ele está indo para a Flórida. Não temos mais nada com o que nos preocupar. Agora, que tal pegarmos a balsa para atravessar o rio e ir ao Umberto para comemorar comendo *manicotti?* Eu pago.

Obviamente satisfeito, Chefe Tony sorriu, a luz brilhando em sua cabeça careca como um farol.

— *Buono, buono.* Mas vamos ao Calabrese. Não se preocupe em pagar conta alguma por lá.

— Ah, eu lhe devo um agrado, Chefe — Murphy juntou as mãos.

— Eu nunca pago no Calabrese — ele brandiu um sorriso presunçoso.

— Você conhece o dono então? — os olhos de Murphy se arregalaram.

— Sim, muito bem — ele ergueu uma sobrancelha cheia. — Você está olhando para ele, *stupido!*

Antes que Frank Russo enfiasse o bilhete do trem para Miami no bolso interior da jaqueta, ele enviou uma intenção de missa anônima para a família do

Chefe Tony por uma boa razão — o homem estaria morto dentro de doze horas.

— Calabrese — a voz havia dito — No jantar.

Ele não tinha que estar lá. Alguém faria o trabalho em seu nome. Agora que quase todas as operações do Chefe Tony estavam sob controle, era a hora de acabar como o patriarca daquela família indesculpavelmente corrupta de uma vez por todas. Ele esperaria até acabar o jantar —deixe o homem aproveitar seu último prato de *manicotti* — e então tudo acabaria. Outro "Bigode Pete" que morreria.

Ele caminhou até o incinerador e atirou um pacote nas brasas. O pacote continha seu uniforme policial.

Ele foi até o quintal e fez um funeral simbólico por seu distintivo prateado, que havia manchado um pouco nas bordas. Cavou um buraco e o colocou em seu túmulo, proferindo um tributo pela força policial condenada.

— Sem mim, eles certamente vão desmoronar — limpou a sujeira das mãos e entrou em casa para terminar de empacotar.

A chamada telefônica veio precisamente dois minutos depois das oito. O Chefe Tony deveria estar morto há dois minutos.

— Está feito — a voz saiu transbordando de autossatisfação.

— Ele cheio de furos? — Frank perguntou, os lábios abrindo-se em um sorriso.

— Como queijo suíço.

— Ótimo — ele sorriu de satisfação.

— Está tudo tranquilo agora, estamos todos esperando que você intervenha e tome conta... Chefe Frank.

— Obrigado, Anna Maria. Mas antes vamos para Miami para férias muito bem merecidas.

TENHO OUTROS PLANOS

— COM A SUA PERSONALIDADE e meu cérebro, nós faremos uma fortuna. Como podemos perder? Aqui é Houston! — Ben Blanchard disse animado para Roy White com um gesto amplo, no elegante complexo da Galleria em frente ao escritório luxuoso de Roy. — Eu farei todo o marketing, você fará o trabalho técnico, e estaremos rolando nela antes que você possa laçar um tatu. Admita, Roy. Você precisa de mim. E eu posso colocar esse negócio em ordem mais rápido do que você pode pegar seu próximo avião para Cancún. Que tal, hein? Quarenta e nove por cento das ações. É um acordo? Eu mesmo vou pagar várias vezes.

Roy tocou as mangas endurecidas e bordadas e brincou com seu "brinquedo executivo", cinco bolas que se chocavam suspensas por cordas, maravilhosamente aderidas às leis da física.

— Digo-lhe uma coisa, Ben — ele começou, seu tom baixo e monótono. — Lhe darei dez por cento dos honorários. Isso deve representar cerca de metade dos lucros, às vezes mais, às vezes menos. Eu simplesmente não posso lhe dar tantas ações. Eu já tenho três acionistas e... — ele respirou fundo. — Não posso dar um passo como este agora — virou os velhos olhos para o energético empreendedor, vendo a crua avidez. Roy sabia que o garoto era um dínamo. Ele também já conhecia suficientes jovens de 35 anos que viajavam pelo país sem a menor ideia de como era uma declaração de imposto. Seu filho era um deles.

— Eu entendo. Ben assentiu. — Um décimo dos lucros é perfeitamente aceitável — ele cruzou os braços por cima do peito. — Mas você não pode fazer todo o marketing e também o todo o trabalho, Roy. Você está se matando. Você precisa...

—- Está certo, Ben. Roy ergueu as mãos. — Você fez seu discurso de vendas e eu mordi a isca. Agora pare de tagarelar sobre como você é ótimo e saia e produza.

Ben levou a mão direita à testa fazendo uma continência de brincadeira.

— Sim, senhor. Mas antes que eu incendeie o mundo, que tal um último almoço de três martinis para a estrada?

E então começou a parceria conhecida no mundo dos negócios como *White Enterprises, Ltda.* Em apenas quatro anos, o charmoso, dinâmico e bem-vestido para o sucesso, Ben Blanchard havia quadruplicado a receita bruta da companhia, tornando-a uma das 500 maiores empresas de Houston. Os lucros pesados trouxeram casas amplas, carros chamativos, excursões para o Taiti e uma matéria colorida na revista Texas Monthly.

Mas Ben Blanchard ainda possuía apenas dez por cento da companhia que ele havia ressuscitado sozinho:

— Vamos abrir nosso capital — ele sugeriu a Roy um dia durante um voo para San Antonio para inspecionar um canteiro de obras.

— Não nesta vida! — Roy, que recentemente havia comprado seus outros três parceiros, mastigava amendoins.

Desapontado, Ben deu de ombros, virou-se para olhar pela janela e continuou a viver com seus dez por cento. Até que sua esposa começou a atormentá-lo.

— Pelo amor de Deus, Ben, não consegue ver o que ele está fazendo com você? Você não é mais do que um faz-tudo que percorre toda a cidade nesse calor pegajoso, parado no trânsito, levando os camaradas dele a almoços de negócios. Ele contrata mais peões para fazer o trabalho enquanto ele senta a bunda lendo o *Wall Street Journal* e colhendo seus 99 por cento. Depois que você construir para ele uma sólida base de clientes, ele vai arrancar de você os dez por cento assim como fez com os outros parceiros. Ele quer tudo para si mesmo. E estaremos na rua sem nada para mostrar.

— Roy nunca faria uma coisa dessas, Sybil — Ben argumentou, checando as calças com cuidado a procura de fios soltos. — Além disso, ele não é bom com marketing e ele sabe disso. Ele não tem a personalidade para socializar e cativar como eu tenho. Ele não é habilidoso; ele nunca pode chegar às pessoas certas. É por isso que o negócio estava se arrastando com uma margem de lucro de 5 por cento antes que eu aparecesse.

— Sim, e agora está arrecadando quinze por cento e você está recebendo apenas um décimo disso! Se você é um homem de negócios tão inteligente, diga a ele que você quer pelo menos outros vinte por cento. Pelo amor de Deus, Ben, nós estamos na mesma maldita rotina há anos! Se você é o cérebro por trás da organização, use-o para variar. Exija que ele lhe dê mais!

Pela primeira vez ele escutou sua incessante importunação; ele sempre a havia ignorado antes, e por isso nunca soube qual era a sua verdadeira queixa. Ele havia simplesmente lhe dado uma pilha de cartões de crédito, fazia seu contador pagar as contas e ignorava sua reclamação sobre dinheiro.

— Talvez ela esteja certa — ele murmurou para si mesmo, um hábito desde a infância. Disléxico quando criança, ele lia tudo em voz alta, então, começou a verbalizar seus pensamentos, na maior parte do tempo sem ao menos perceber. Sim, algo lhe dizia que deveria parar e analisar o que ela tinha falado. Afinal, haviam se passado quatro anos...

～

— Desculpe-me, Ben, eu simplesmente não posso — Roy balançou a cabeça, o topete rígido e descolorido brilhando à luz do sol. — Eu comecei a empresa com dinheiro familiar, e tem que continuar assim. Você sabe que vai ficar com tudo quando eu... você sabe.

— Qual é, Roy — Ben pediu. — Você ainda está no lado bom dos 65 anos. E ainda que nós dois trabalhemos duro, já deveria saber a essa altura que você não teria nenhum destes clientes se não fosse pela minha experiente negociação e diplomacia.

— Você sabe o quanto eu aprecio isto, Ben, mas tenho que dizer não. Desculpe-me.

Roy levantou-se de sua cadeira de couro e dirigiu-se às portas de correr de vidro para ficar de pé na sacada. Ele se inclinou sobre o parapeito da cidade que se estendia sob dele, um ritual que ele realizava todo meio-dia.

— Se você diz, Roy — Ben girou sobre os calcanhares e saiu do escritório devagar, a mente ocupada calculando o Plano B.

— Bom, você perguntou a ele? — a esposa de Ben implorou, seguindo seus passos do corredor ao quarto.

Ele retirou a jaqueta e virou-se para encará-la, olhando nos olhos que revelavam uma frustração inegável.

— Não se preocupe, querida — ele piscou para ela, afrouxando a gravata e tirando-a. — Você vai ter tudo o que quiser. Só me dê algum tempo.

— Tempo! Você está nisso há quatro anos e nunca...

— Eu disse — ele a cortou, estalando a gravata como um chicote a centímetros do rosto dela — me dê um tempo. E não me incomode mais com isso, ouviu? — afastando-se, ele abriu a porta do banheiro, trancou-se lá dentro e tomou um banho quente.

Ben decidiu dar ao seu principal sócio mais uma chance de lhe dar mais ações antes de agir. A resposta foi a mesma que havia sido nos últimos quatro anos:

— Desculpe-me, Ben, mas...

Seu tempo acabou — Ben pensou. *Se você sente muito agora, apenas espera e veja o quanto você se lamentará mais tarde.*

Ridgefield, Ltd., o maior cliente deles, graciosamente levava os dois parceiros e suas esposas para uma festa de Natal todo ano, uma noite elegante de jantar e entretenimento no luxuoso *Hyatt Regency* de Dallas. Quando o presidente da *Ridgefield* fez o tradicional brinde com champagne, duzentos executivos de smoking brindaram por outro ano novo próspero e lucrativo.

Ben observava com o canto dos olhos enquanto seu sócio bebericava o líquido espumante. Outro gole, depois mais um. Os olhos de Ben se arregalaram bem na hora em que Roy começou a engasgar e cuspir. Ben correu para segurar o idoso enquanto ele desabava, inconsciente

A esposa de Roy gritou:

— Ah Roy, não! Alguém ajude o meu marido. Acho que ele está tendo um infarto.

Os paramédicos chegaram e levaram Roy para o Hospital Parkland.

— Está tudo bem, Sra. White — Ben acalmou a corpulenta matrona loira que chorava em um lenço de renda. — Ele vai ficar bem, tenho certeza. — ele murmurou, mais para si mesmo do que para a mulher desesperada.

Roy sobreviveu para ver o Ano Novo e Ben passou o feriado olhando inexpressivamente para jogos de futebol na TV e elaborando o Plano B.

— Sim, é isto. — ele pensou em voz alta, enchendo a boca de Doritos. — Tem que funcionar!

— O que tem que funcionar? — sua esposa, acostumada ao seu pensamento verbalizado, perguntou-lhe.

— Ah, nada. Ele acenou com a mão de maneira desdenhosa enquanto as rodas de sua mente giravam. — Só um conceito novo de marketing.

Ben não tinha muito tempo para ser criativo. Ele alugou um discreto sedan marrom por algumas noites e seguiu cada movimento do Roy das cinco da tarde em diante. Estacionou em uma rua lateral escura atrás do prédio, sentou no lugar do motorista e esperou. Ele havia escolhido uma época do ano muito adequada; às cinco da tarde era escuro como breu. Às 18h35, o distinto executivo desceu a escadaria como sempre, preferindo caminhar ao redor do prédio do que usar a saída dos fundos.

— Ahá, aí está ele, bem no alvo — Ben murmurou. Sem tirar os olhos do parceiro, Ben ligou a chave na ignição e o motor zumbiu. Ao observar que Roy se dirigia em sua direção, ele mudou para uma marcha mais baixa e soltou o freio. Desceu a rua a um quilômetro por hora, os faróis desligados. Tudo o que Roy podia ouvir era o zumbido de um motor distante, misturando-se com o barulho do tráfego na rua principal atrás dele.

Roy aproximou-se da garagem do edifício, seu

carro estacionado cerca de quinze metros de onde Ben o havia seguido.

— Vamos, querido, vamos, vamos! — Ben incitou enquanto Roy atravessava a rua em diagonal, indo em direção ao seu carro. — Agora! —uma voz demoníaca gritou, e ele pisou no acelerador. Seu corpo arqueou para frente com a guinada repentina do carro. Luzes passaram velozes, ofuscando-o. Conforme ele descia correndo a rua, percebeu que não havia atingido Roy, e sem faróis ou luzes traseiras, ele não podia ver nada na escuridão atrás dele. Pisou nos freios a poucos metros da intersecção movimentada. O tráfego movia-se pela agitada rua de quatro faixas. — Droga! — Ele esmurrou o volante. — Estraguei tudo!

Roy tirou o dia seguinte de folga e nunca mencionou o incidente. Ben devolveu o carro sem nada além de um pouco de borracha queimada nos pneus.

Ele planejava esperar um período de tempo seguro antes de instigar o Plano B-2, para que ninguém suspeitasse das recentes tendências a acidentes de Roy.

Ben telefonou para sua esposa para lhe dizer que estaria preso em reuniões, mas sua caixa postal atendeu. Depois de lhe deixar uma mensagem, ele esperou até 17h30, comeu um sanduíche no Subway e retornou ao escritório às 19h. Ele entrou no prédio escuro, subiu até o segundo andar, acendeu o interruptor no corredor e entrou no escritório vazio de Roy. O telefone começou a tocar assim que entrou, mas ele sabia que a secretária eletrônica atenderia.

A pessoa que ligou deixou seu nome, número e horário que ligou. Sem querer acender a luz do escritório, Ben acendeu sua lanterna de bolso e apontou o feixe fraco para a mesa bagunçada de Roy. O cone de luz examinou a gama de canetas, pastas de arquivos e pilhas de Wall Street Journals. Ele ergueu a lanterna e mirou nas portas de correr de vidro. O reflexo irradiou de volta a ele como um farol. Deu um passo à frente, destrancou a fechadura e deslizou a porta.

— Ahá — ele lambeu os lábios de alegria. — Que tal um bom ar fresco, Roy?

Depois de posicionar a lanterna do seu lado para que ela iluminasse o parapeito da sacada, atravessou o escritório para pegar a bolsa na qual havia trazido as ferramentas do trabalho: chave de fenda, alicate, chave inglesa. No caminho de volta para a sacada, ele tropeçou e bateu a cabeça primeiro na mesa de Roy. O maldito fio da secretária eletrônica! Tropeçou e caiu direto na máquina, acertando a cabeça no tampo da mesa, os braços espalmados de modo protetivo diante dele. O mecanismo zumbia dentro da máquina enquanto ele soltava uma série de xingamentos. Ele

tateou na bolsa as ferramentas simples que tirariam
Roy dos negócios, permanentemente.

Depois de cerca de dois minutos, ele voltou à sacada e na fraca luz da lanterna, soltou os parafusos
que seguravam o parapeito à parede.

— É isto, parceiro — ele murmurou — o veneno
não o enterrou e o carro não o derrubou, mas quando
você fizer seu descanso ao meio-dia nesta sacada —
sua gargalhada sinistra ecoou no escritório vazio —
você verá muito bem as nuvens, exceto que você as
verá olhando para baixo dos portões do paraíso.

Após concluir a tarefa, fechou a porta e juntou as
ferramentas. Exibindo o mesmo sorriso largo com o
qual conquistara muitos clientes, ele deixou o prédio.

— Venha aqui, por favor — a voz de Roy, um pouco
mais rude que o normal, traía uma fragilidade que
Ben nunca havia detectado no tom de seu sócio.

— Você está bem? — Ben correu para o escritório
de Roy. — O que foi? Parece que você viu um fan-
tasma! — e ele tinha visto. Seu rosto estava mais pá-
lido do que as páginas do calendário aberto em sua
mesa. O homem parecia abatido.

— Acaba de me ocorrer, Ben, que tem havido um
jogo sujo por aqui. Alguém quer me matar — os olhos
dele encontraram os de Ben, cruzando-se enquanto
focavam.

Tensionando os músculos para não tremer, Ben olhou pela janela e brincou com a gravata.

— Ah, pelo amor, Roy, você tem lido muito daqueles mistérios de assassinatos. Que melodramático. "Alguém quer me matar" — ele imitou a voz do sócio, exagerando na qualidade de sina e de presságio. — Quem iria querer fazer algo assim e por que?

Depois que falou, arrependeu-se de ter dito a frase daquela forma, sabendo que havia se escancarado para uma resposta que ele temia:

— Quem e por que? — ele nivelou o olhar estreito com o de Ben. — Você é o *quem* e dinheiro é o *por que.*

Ben empalideceu.

— Roy, como você pode... — Merda. Ele se amaldiçoou por não ter ensaiado isso. Como reagir? Insultado? Magoado? Ficar na defensiva? Ele improvisou, simplesmente deixando Roy continuar.

— Eu fiquei desconfiado depois da tentativa de atropelamento relâmpago, Ben, meu garoto. Eu esperava, com Deus como minha testemunha, esperava que não fosse você; o homem de quem dependi e confiei todos esses anos. Eu esperava que esse dinheiro sujo e podre não significassem tanto para você. Mas eu tinha que ter certeza. Afinal, você tem sido tão paciente e cooperativo até agora, vivendo com os seus dez por cento. Mas para ter certeza, eu contratei alguém para investigar esses acontecimentos bizarros. E descobriram algo — ele fez uma pausa. Ben prendeu a respiração. — Fui capaz de pegar o número da placa do sedan que quase me atropelou, e tenho certeza que pode ser rastreado até você, especialmente depois que eu ouvi os xingamentos que você proferiu quando tropeçou no cabo ali — ele apontou para o detestável cabo preto que se estendia pelo chão até a maldita secretária eletrônica — e as frases incriminadoras que você revelou quando fez o serviço sujo na sacada. Você acertou o botão que ativa o gravador de mensagens e gravou sua própria voz. Eu recuperei duas mensagens na secretária, uma imediatamente antes e uma imediatamente depois que você entrou. Uma as 19h05 e a outra as 19h15, o que lhe deu exatos dez minutos para montar sua armadilha e fugir. Você deveria tentar confinar seus pensamentos à sua mente, Ben, e ter certeza de que está engatada antes de usar a língua, porque eu realmente peguei você dessa vez.

Atordoado, Ben afundou-se na cadeira mais próxima, incapaz de olhar nos olhos do sócio.

— Mas eu não vou prestar queixas, Ben. Eu estaria cuspindo em mim mesmo se fizesse isso. Você sempre esteve certo, meu amigo. Eu preciso de você para este negócio. Eu sei que você tem feito um trabalho fantástico. Na verdade, eu ia lhe dar outros 25 por cento da empresa no Natal para finalmente realizar o seu desejo. E se você acha que eu estou blefando, pergunte à sua esposa. Ele entrou com a moção nos registros da empresa. Mas não, você me queria morto para conseguir obter tudo, não apenas uns míseros 25 por cento. Você não podia esperar mais alguns anos até que eu fosse naturalmente para pegar tudo. Tinha que ser agora.

Uma umidade gelada escorreu pelo paletó de Ben. Ele nunca tinha suado assim antes. Ele tremia. Os olhos de Roy se fixaram nele.

— Sim, Ben, eu vou te manter como sócio. Na verdade, vou lhe dar aqueles 25 por cento no Natal. Porque você trabalha duro e eu não estaria em lugar nenhum sem você. Eu também não estaria em lugar nenhum se os seus planos não tivessem fracassado, mas nem vem ao caso. Agora, eu escrevi um bilhete sucinto que está nas mãos do meu advogado. Ela afirma que você, Benjamin Blanchard, tentou me matar em três diferentes ocasiões. A fita incrimina-dora está com o bilhete. Ele afirma ainda que se eu morrer de alguma forma que se assemelhe a um crime ou pareça suspeita, que a polícia será contactada ime-diatamente e você será acusado do meu assassinato. Você tem mais alguma coisa a dizer, Ben?

Ben balançou a cabeça, o entorpecimento su-bindo até a raiz dos cabelos. Ele chutou o fio, aquele maldito fio, como se fosse uma barata.

— E então? — os lábios de Roy abriram-se em um meio sorriso malicioso. — O que você tem a dizer em sua defesa?

Ben torceu a boca e murmurou por entre os dentes cerrados:

— Você me pegou, parceiro. Estou virando uma página neste minuto e vou me arrepender. Que você — e Deus — possam me perdoar.

Às duas da madrugada da manhã seguinte, uma figura sombria emergiu debaixo do Mercedes de Roy White. Limpando a graxa das mãos, ele se virou para a corpulenta matrona loira platinada de pé ao seu lado, envolta em um roupão acolchoado.

— Metade agora, metade quando o trabalho estiver feito — ele sussurrou, embora fossem as duas únicas pessoas na rua vazia.

Ela lhe entregou um volumoso envelope:

— Encontre-me amanhã para a outra metade, Lou — ela murmurou, virou-se e entrou em casa.

O policial chegou na porta de Ben Blanchard logo após sua segunda xícara de café na manhã seguinte.

Ben ficou surpreso ao ver os dois imponentes uniformes bloqueando a luz em sua porta. - Polícia de Houston.

— Do que se trata, oficiais? — o coração de Ben batia com força.

— Sr. Benjamin Blanchard? — o maior dos policias perguntou, mostrando seu distintivo.

— Sim...

— Roy white foi morto ontem à noite quando seus freios falharam na interestadual 610. Você está preso pelo seu assassinato. Bill, leia seus direitos.

Caro leitor,

Esperamos que você tenha gostado de ler *Assassinato ao luar*. Reserve um momento para deixar uma crítica, mesmo que curta. A sua opinião é importante para nós.

Atenciosamente,

Diana Rubino e Next Chapter Team

Assassinato Ao Luar
ISBN: 978-4-86750-169-6
Edição impressa grande

Publicado por
Next Chapter
1-60-20 Minami-Otsuka
170-0005 Toshima-Ku, Tokyo
+818035793528

6 Junho 2021

Lightning Source UK Ltd.
Milton Keynes UK
UKHW011829170621
385713UK00001B/105

9 784867 501696